JN123998

超自然的ないやしの力に歩む

クリス・ゴア
高井悦夫 訳

Originally published in English under the title
Walking In Supernatural Healing Power
Published by Destiny Image
167 Walnut Bottom Rd. Shippensburgh
PA 17257-0310 USA

はじめに

つい数年前まで、神が私たち家族をどのような旅路に導こうとされているのか、想像することが出来ませんでした。私を通して超自然的な力が流れることを追い求めて、十年以上の間、約千人も祈りましたが、癒しは起こりませんでした。すべてが変わり始めたのは、二〇〇五年からです。いまでは、目の前でイエスの奇跡の癒しの力が、何千という人に現れるのを喜びながら見ています。

主イエスが個人の運命に介入し、十字架の贖いが報われるのを願っています。体が単に超自然的な体験によって癒されるということだけではなく、奇跡は神の言葉と共にあることを見たいのです。人々が御言葉を知り、御言葉が神との出会いを導く様子を目にしたいのです。

超自然的な道を歩むための典型的な型や魔法の杖がない代わりに、そのために必要な心の一新と言えるものがあります。この本では、より高い次元の奇跡と癒しが、すべての人に解き放たれる、超自然的な行為の原則を紹介しています。しかし、この本の核心部分は、癒しを得るための心の持ち方についてです。

神との関係が深まるにつれて自分の運命が変わってゆき、夢にすぎなかったことが、生活の中で実際に実を結ぶ素晴らしさを味わっていただけることでしょう。我々の誰もがイエスの超自然的な癒しの力の中を歩けるように運命づけられ、デザインされていることを、多くの教会が証明できるように、この本では、不可思議な要素が多い癒しの世界を出来る限り明確にすることを心掛けました。

あなたは、超自然的な道を歩くひとりの人間の旅を読み進むうちに、チャレンジを受け、また、元気づけられることと思います。あなたは、十字架の贖いの報酬を熱心に求めてイエスに命を捧げる時に、神がどんなことをされるのかを見ることでしょう。

目次

第一章　強固な基盤となるもの

一九九〇年の後半、私はブレークスルー（打ち破り）を体験するまで生涯断食を続けると、上席牧師のところに行って宣言しました。私は、牧師がこのことについて何か語ってくれることを心から期待していましたが、牧師は「気をつけなさい。」と慰めの言葉をかけてくれただけでした。宣言したからには、やり通さなければなりません。最初の日は簡単でしたが、二日目にはお腹が空きはじめ、三日目になると本当に死ぬかと思いました。そして、夜に仕事から帰宅すると長椅子に倒れ込み、妻を呼んで言いました。

「お腹が空いて具合が悪くて、本当に死んでしまいそうだよ。」

妻は二つの選択肢を私にくれました。それは、断食を止めて食べるか、それとも死ぬかでしたが、後者の場合は静かに実行するようにとのことでした。彼女は笑いながら部屋を出て行き、私はとても惨めでした。

私は断食を止める方を選び、冷蔵庫に行ってパックにあったソーセージ全部と一塊のパンを丸ごと平らげました。食べた後、私は本当に死ぬかと思うほど、一層体調が悪くなりました。私はこの時、どんなに働いても十分ということはないのだと気づきました。

聖書を三章読んだあなたの所に敵がやって来て言います。

「もし六章読んだのだったら、ブレークスルーが起きたのに。」

あなたが一時間祈ると、同じ敵が言います。

「あなたは二時間祈るべきだった。そうすればブレークスルーが見られたかもしれない。」

二十一日の断食に向かうあなたに、敵は攻めたてるように耳元で囁きます。

「二十一日間続けられたら、あなたは何か必要なものを得るかもしれない。」

私たちはしばしば、行ないが大きければ大きいほど神は私たちをもっと愛してくださり、奇跡はそれに続いて起こると信じているため、神を喜ばせようと、身を粉にして働こうとします。

この考え方は、神から受ける愛を基盤にした働きとは逆に、神の愛を得るために働くことに私たちの価値基準を置いています。私は、神が既に十分に私を愛して下さっていると理解出来ていなかったため、過剰な働きをして何年も過ごしました。

多くのクリスチャンは、神が私たちを愛して下さっていることは理解していても、良く聞いて見ると、神の深い愛の啓示を受けていません。頭では神が私たちを愛していると分かっていても、「実は神は我慢しているだけ」という偽りもまた信じています。神は、私たちと一緒になって、私たちが好むことをしたいと思っていらっしゃいます。

愛に基づく「働き」(Working from love)

神の愛、恵み、善良さが自分の中に啓示として現れるとき、神は既にこれ以上愛しようがないほど私たちを愛して下さっていることが分かります。ペテロとヨハネは私の大好きな使徒たちですが、主の愛に対する二人の感じ方はまったく異なります。

弟子のひとりで、イエスが愛しておられた者が、イエスの右側で席に着いていた。(ヨハネ十三・23)

この聖句ではヨハネのことを、「イエスが愛した弟子」と言っていることから、主イエスはヨハネを最も愛していたことが読み取れます。興味深いのは、この記述は彼自身が著者であるヨハネの福音書だけに出てくることです。

では、ヨハネは他の弟子たちとどこが違ったのでしょうか。主イエスがすべての弟子をこよなく愛していたことは疑う余地はありませんが、私は、ヨハネはおそらく他の弟子にはない啓示を受けとめる力があったのだと思っています。彼は、自分が愛されていることを知っていました。ヨハネは、主の愛と臨在を楽しむ方法を一番よく知っていた弟子だったのではないでしょうか。

主は最後の晩餐の夜、弟子たちにとって受け入れ難い発言をされました。主は、弟子たちが全員躓き、彼らはみな主から遠ざかると言われました。

弟子たちはみな、疑いなく主を愛していましたので、全員がショックを受けたと私は確信していますす。イエスの言葉を聞いて、ペテロはイエスを脇にお連れして、他の弟子たちが躓くことに基本的に同意しながら、他の弟子が躓くことはあっても「私は違います」と言いました。

するとペテロがイエスに言った。

「たとい全部の者がつまずいても、私はつまずきません。」イエスは彼に言われた。「まことに、あなたに告げます。あなたは、きょう、今夜、鶏が二度鳴く前に、わたしを知らないと三度言います。」

ペテロは力を込めて言い張った。「たとい、ごいっしょに死ななければならないとしても、私は、あなたを知らないなどとは決して申しません。」

みなの者もそう言った。（マルコの福音書一四・29〜31）

ヨハネの福音書十三章二十三節の場面も最期の晩餐の時のものです。ペトロとヨハネを含め、弟子たちが主と一緒にテーブルに着いていました。

私たちクリスチャンは、このような時、ペテロとヨハネに代表される二つのタイプに分かれます。ペテロの名前の意味は「岩または石」で、もっと掘り下げていくと「律法」になります。ペテロは、主のために愛を宣言するタイプの代表です。

ヨハネの名前の意味は、「最愛、愛される者」で、掘り下げると「恵み」になります。ヨハネがイエスの胸に寄りかかっている様子からは、主から注がれる愛に信頼しきっている姿が思い浮かびます。ヨハネは、神が一方的に私たちを愛してくださっていることを信じるすべてのクリスチャンを代表しています。

一方は律法のもとにあるクリスチャンを表わし、他方は恵みのもとにあるクリスチャンを表わしていると言えます。いつも主イエスへの愛を宣言していた人は、夜が明ける前に三度主を否定し、主から注がれる自分への愛に信頼しきっている人は、主が最も必要とする時に主の傍にいて奉仕しました。

最後の晩餐の席で、主イエスが「この中の一人が私を裏切る」と言われた時も、ペトロはヨハネの方に振り向いて、「それはだれなのか」と訊くように促した。ここでも、ペテロと主イエスの間には距離感があります。ペテロはなぜイエスに、誰が裏切るのか自ら尋ねなかったのでしょうか。

イエスは、どの弟子も自分を裏切ることが分かっていました。ペテロは、イエスの愛を強固な基盤としてしっかり受け止める代わりに、主に対する自らの愛に頼っていました。そのことが、主が必要としたときに彼を躓かせる要因となりました。

イエスは、二人がともに躓くとおっしゃいました。ヨハネもあの夜に躓きますが、彼の場合は主の愛をしっかり受け止め、そのことが主との関係の基盤になっていたため、躓きを乗り越え、主が必要としたときに主の足もとに身を寄せることができました。

十二使徒の中でヨハネだけがイエスと共に十字架の傍らにいました。他の使徒たちは、一人で気落ちし、恐らく自分を責めていたのではないでしょうか。ペテロが自責の念に駆られて自分に対する価値を見失った一方で、ヨハネが十字架の下にいることができたのは、明らかに、彼がどのくらいイエスを愛しているかではなく、イエスがどれだけ彼を愛してくださっているかを土台にして、主イエスとの関係を見ていたからです。

多くの人は、自分がどのくらい神を愛しているかを基盤にして癒しや奇跡への道を歩もうとし、それを癒しの発想の原点としています。私は数年前、心と思いと知力を尽くして主を愛しているという女性から、どうして自分は癒されないのかという質問のメールを受け取りました。その質問を読んでいる時、主がハッキリと「十字架で証明したのは人間からの愛ではなく、私から人間への愛であった。」と語られました。

癒しや奇跡への歩みは、私たちとこの世に対する主の絶大な愛に基礎をおくべきです。マタイ二十二章三七節の捉え方について、何人かの人に質問されたことがあります。御言葉が誰について語られているのかを、文脈の中で汲み取ることが大切です。この聖句も、イエスご自身が語られている言葉を文脈の中で捉える時、真意が伝わってきます。

しかし、パリサイ人たちは、イエスがサドカイ人たちを黙らせたと聞いて、いっしょに集まった。そして、彼らのうちのひとりの律法の専門家が、イエスをためそうとして、尋ねた。「先生。律法の中で、たいせつな戒めはどれですか。」そこで、イエスは彼に言われた。『心を尽くし、思いを尽くし、知力を尽くして、あなたの神である主を愛せよ。』（マタイ二十二・34～37）

私が言おうとしていることをよく聞いてください。私は心と思いと知力を尽くして主を愛していますす。心の底から主を愛していて、すべてを捧げることを厭いません。すべてを贖ってくださった主への恩義は心に深く感じていますが、しかし、その土台として、主が完璧に私たちを愛してくださっていることを知り、信じることが先決だと思っています。

私たちが神を愛したのではなく、神が私たちを愛し…、私たちは（神を）愛しています。神がまず

私たちを愛してくださったからです。（ヨハネ第一四・10～19）

私は、癒しのミニストリーに携わっている中で、こんな質問をする人に幾人となく会いました。「クリスさん。私は神様をとても愛しているのに、私を通して神様が働かれないのはどうしてですか。」そんな時は、私は彼らの目をじっと見て、神が彼らをどれだけ愛してくださっているか知っているかと尋ねます。私の目をしっかり見返して、自分がどれだけ神に愛されているか答える人はほとんどいません。多くの人は、目を反らしたり、下を向いたり、話題を変えようとします。私たちは、私たちに注いで下さっている父なる神の愛について、もっと大きな啓示が必要です。（このことについては別に説明します。）

私は、心と思いと知力を尽くして神を愛していますが、しかしその前に、神がどれほどまでに私を愛して下さっているか分かると、恋い慕わずにはいられなくなります。私が主を愛するのは、主の愛を知ったことの副産物です。

七、八年前のことですが、私は年に千回以上も百十一（一一一）という数字を見るようになりました。主が使われる第一言語は、英語でもドイツ語でもスペイン語でもないということを何人の方が知っているでしょうか。主は、幾つかのことを知らせようとするために、自然や数字を通して様々な形で語りかけてきます。

私は、この百十一（一一一）という数字に何度も何度も遭遇し、それは怖いほどでした。神が私に注目すべき何かを教えようとされていることは理解出来ました。利用した飛行機のフライトナンバーは決まったように百十一（一一一）でしたし、時間をチェックしようとしてアイフォンをポケットから取り出すと、一時十一分（一：一一）という時刻が表示されていました。

ある日、私はネブラスカ州でミニストリーを行い、その後、デンバー空港まで車で五時間走りました。ミニストリーが終わったのが午後十一時で、フライトは午前六時でした。長い夜でした。車で送って頂いたのですが、その間、眠くて目を開けていられませんでした。眠気に襲われ、コックリしては目を覚ますという状態でした。

私はある地点でコックリした拍子に前のめりになり、頭をダッシュボードにぶつけました。次の瞬間、体が後ろに倒れて背中を強く打ちました。その驚きで、すっかり目が覚め、道路に目をやり、標識を見たところ、その地点はデンバーから百十一（一一一）マイルと表示されていました。

デンバー空港からは、サクラメント行きの飛行機で家路に向かったのですが、サクラメント空港に到着してすぐ時間を調べるためにアイフォンを見ると、午後一時十一分（一一一）でした。私は、思わず、「神様、いったい私に何を語りかけようとされているのですか？」と尋ねました。

神は、「あなたから隠しているのではなく、あなたのために隠しているのだ。続けて探究し、明らかにしなさい。」とハッキリ言われました。そこで私は、自分が知っている聖書の一章十一節、あるいは十一章一節をくまなく調べました。良い聖句が幾つかありましたが、それは神に示されたものでないことが分かりました。あまりピンとこない成句も幾つかありました。パソコンで聖句を探している、まさにその時点でも、パソコンのバッテリー残量を見ると一時間十一分（一一一）を表示していました。

約二ヶ月後、私は神に言いました。「神様、もしあなたが聖句の中から私に何かを示そうとしているとしたら、私は見つけることができません。私は、一章十一節と十一章一節をすべて調べました。

神は言われました。「あなたは一つだけ調べ残している。」

私は言いました。「いいえ。私はすべて調べました。」

神は答えました。「一つだけ残っている。マルコ一章十一節を見てみなさい。」

急いで聖書を開いてみると、そこには「**あなたは、わたしの愛する子、わたしはあなたを喜ぶ。**」と書いてありました。

私はその後、一一一という数字を見る度に、自分が神に愛されている息子だという実感とともに、神が私に向けて下さった喜びを楽しむ素晴らしい瞬間に浸ります。父なる神は、あなたの地上の父親とは比較になりません。あなたの父親は、あなたを拒んだかもしれませんが、天の父はあなたを受け入れ、あなたを完全に愛して下さいます。

あなたを愛している御子イエスは、まるであなたがこの地上で唯一の人であるかのように、あなたのためにご自身を捧げて下いました。神はあなたの行ないを見てあなたを愛しているのではありません。あなたの奉仕を見た上で、あなたを愛しているのではありません。愛の神なのです。

あなたがどれほど愛され、受け入れられ、そして、神があなたの愛する父親であることをしっかり土台に据えて生活する時、心と思いと知力を尽くして神を愛さずにはおられない自分を見つけることができるでしょう。あなたの中におられる神と、神にあるあなたが土台として正しく据えられると、奇跡が流れ出ます。

第二章　神への不満を全く持たない生活へ

父なる神は愛の神であり、今のままのあなたを愛し、受け入れ、恵みを与えて下さっています。あなたは、その神に仕えているのです。そのことがしっかりと据えられていない人生に変化球が投げ込まれると、「神様。あなたは私に何をされようとしているのですか?」といった、不平をぶつける結末を迎えます。善良なご性質をお持ちの神は、私たちの置かれた状況を良い方向に導いて下さろうとします。私たちは、そのような神に対して、不平を言ってしまうのです。

インドの南部地域に伝道旅行に行っている間に、私の人生の旅は決定的なポイントを迎えました。私はランディ・クラーク師と共に、インドへの癒しのミニストリー旅行に参加していました。

それは、二〇〇六年一月の暖かな日曜日のことでした。私はこの時、子どもたちの命に関する何か特別な働きをするようにと、神から語りかけがあったように感じました。一日が始まり、その日の夜に予定されていた集会の前に、私は朝に友人の教会でスピーチをする機会を得ました。行ってみると、早朝に行われた子どもの礼拝が終わっていたため、子どもたちは皆家に帰ってしまっていて、一人もいませんでした。私は、主の言葉を正確に受け取れなかったのかと思いながら、とにかくスピーチを始めました。

通訳者が遅れているので、彼が到着するまで九十分間話をして欲しいと頼まれました。そして、私は彼が来てからも九十分間話し続けました。

その日のことは鮮明に覚えています。私の好きなテーマである、神がいかに素晴らしい方かということと、私たちが置かれている境遇は必ずしも神の良いご性質を反映しているものではないという話をしました。説教の時間はオーバーしましたが、神がどんなに良い方であるかという真理が、渇き切った土地を潤す水のように流れ出て来ました。神は、神が良い方であることを宣言する場に現れずにはいられないと思われたようで、その日の朝は奇跡が次々と起こり、それは圧倒的な光景でした。目の見えない人、耳の聞こえない人、足の萎えた人が癒されました。頭からつま先まで創傷で覆われていた赤ちゃんが手渡されました。創傷は深く、また、汚れていました。私たちの目の前で傷が乾き始め、新しい皮膚が造られていきました。そして、翌朝に目覚めた時には「全身の皮膚がすっかりきれいに生まれ変わっていた」という母親の言葉を受け取りました。すると、あらゆる所から子どもたちが集まり始め、奇跡と癒しが流れ出ました。

ある十三歳前後の男の子は、腸に問題がありました。彼は祈りを受けると、神の力が及んで床に倒れました。その子は約二十分間気を失っていましたが、意識が戻って床に座ると、「ぼくの腸を取り出してキレイに洗ってひっくり返して、また元に戻してくれたのは誰なの？」と訊きました。彼は、痛みが全く消えた状態で礼拝から帰っていきました。奇跡はその後も続き、教会ではその朝、二二五人のうち一五七人が奇跡を体験しました。御国が侵入した素晴らしい日でした。

私たちはランチを食べてからホテルに戻り、シャツを着替えるとすぐにバスに飛び乗り、数千人の飢え乾いた人たちが待っている集会場に向かいました。その時、私の頭に浮かんだのは、主が私に語られたことは、まだほんの始まりに過ぎないということでした。次に起こったことは、文字通り私を身震いさせ、この本を書いている五年後の今でもその感情が蘇ってきます。

集会の最後の夜のことです。メッセージが終わり、病気と死に直面している人たちに御国の力を解き放つために、奉仕チームが位置に着きました。私たちはチームとして十万ドルの寄付を集めてトラックを用意し、ここから周囲四五キロに渡る一帯から、病気の人、瀕死の人、口が聞けない人、目の見えない人、足がびっこを曳いている人たちを集めて来ました。

八日間に渡る最後の集会で私が人々の間を歩いている時に、一人の幼い赤ちゃんが警備の柵を乗り越え、投げ込まれるようにして私の腕に収まりました。その赤ちゃんは癒されて返されました。そして、次から次へと幼い子どもが手渡されました。ある親は子どもへの祝福を求め、また別の親は癒しを必要としていました。主はすべての子どもを癒されました。

群衆の奥の方にいたお年寄りの女性が私の注意を引きました。彼女は五歳の男の子を腕に抱えていました。その子は、お祖母ちゃんの腕の中で眠っていました。私は、その子を受け取って抱きかかえてもいいかと尋ねました。そして、「彼に必要なのは祝福ですか、それとも癒しですか？」と尋ねました。

「この孫は、生まれてから一度も、立ったことも、足を踏み出したことも、歩いたこともないんです。」とお祖母さんは言いました。その子は、その時にはもう起きていて、目にいっぱい涙を溜めていました。眠る前は優しいお祖母ちゃんの腕に抱かれていたのに、目が覚めると色の白い男が自分を見つめていたからです。

群衆は警備の柵を壊して私の周りに押し寄せ、私の祈りを求めていました。私は、その男の子に深い憐れみを感じ、感情が揺れ動きました。そのフィールドに立っていたのは、まるで私と彼だけだったような感覚がしました。私は、群衆から離れて、その子と私の友人のカリーを前の方に連れて行きました。

その子と私は今では友達です。（その子の名前は英語に訳すと、「明るく輝く光」になることが後から分かりました。）私は、「私の友達のイエスは君を愛していて癒そうとしている。」と彼に言いました。カリーがその子と仲良くなろうと努めている間、私は憐れみの心で一杯になり、乾いていて埃っぽいサッカー場で横になりました。私はその時、「彼を持ち上げて歩かせなさい。」という主のはっきりした声を聞きました。

私はカリーの方に振り向いて、私が聞いた主の声を彼に伝えました。彼は「自分も全く同じ言葉を聞いた」と言いました。

私はカリーに、「そのことについて考えるのではなく、とにかく二人が聞いた主の言葉に従おう。」と言いました。私たちはその子に、彼の国の言葉で「イエス様、もっと」とだけ言うように教えました。そして、私たちの願いは彼が歩くことだと伝え、ただ「イエス様、もっと」とだけ言って欲しいと言いました。カリーが彼の胴を抱えて足を支え、私たちは彼を歩かせ始めました。カリーが胴体を支える中、その子が「イエス様、もっと！」と言いながら歩いている姿は衝撃的でした。私たちの支えは、彼の腕から手に移り、そして指だけになりました。

私はお祖母さんの方を向きました。彼女は泣きながら、

「前にも言いましたが、この子は今まで一度も、立ったことも、足を踏み出したことも、歩いたこともなかったんですよ。」と言いました。時はすでに夜の十二時を回っていて、この子を運んで来たトラックが出発する時間でしたので、係の人から呼び出しを受けていました。

サッカー場にはほとんど人がいなくなり、私はホテルに向かうバスに乗り、座席に座って、今しがた体験した喜びに浸っていました。すると、

「最前線に戻って、感謝のお祝いをしなさい。」という主の声が聞こえました。私は、急いでバスを飛び降りました。サッカー場に走って行くと、片方の耳が一年の間まったく聞こえていない、まだ祈りを受けていない一人の女性を見つけました。彼女は、私が彼女の耳に手を当てる前に突然聞こえるよ

うになりました。

　私たちはホテルに戻りました。私はランディ・クラーク師に尋ねました。二十分間祈ったあの足の不自由な男の子に癒しが起こり、八年間祈り続けている自分の娘にブレークスルーがないのは何故かと訊きました。その時神は、私が神を責める心を持っており、それが取り扱われなければならない課題であることを、明らかにされようとしていました。

　それでは、私自身のことを語ります。

　私たちの長女シャーロットは、一九九五年に生まれました。彼女は生まれてから数時間、激しい発作を起こしました。彼女は三週間集中治療室で治療を受け、私は彼女が退院する際に神経の専門医から部屋に呼ばれ、「お子さんは脳に大きなダメージを受けているので、医学的見地から、全く歩けないか、もしくは、脳が正常に機能しないと思われます。愛のある家庭で、できる限りの愛情を彼女に注いでください。それがあなたにできる最善なことです。」と言われました。

　私の癒しのミニストリーへの旅は、ここを起点としていると信じていますが、神に向けてしまう「理詰めの攻撃」と向き合うことが必要でした。私たちは何度も挫折を味わい、実りのある生活ができないことに葛藤を覚えていました。彼女は数年後に側弯症を発症し、二〇〇八年には緊急手術を迫られました。背骨が一〇四度もねじ曲がって肺を圧迫し、奇跡かよほどの癒しがない限り、心臓が押し潰されるのは明白でした。

今日の失望にどう対処するか、それが実りある明日を決定する鍵です

シャーロットは二〇〇八年、人間が最も痛みを味わう手術を受けました。彼女の脊椎を首の基部から尾骨まで伸ばすことが必要でした。手術は八時間に及び、うつ伏せの時間が長かったために彼女の眼は腫れあがって塞がり、手術後一週間は目を明けられませんでした。彼女は手術中、全身の血液を五回分以上も失い、手術後も二、三日の間、出血が続いていました。医師は少し落ち込み、シャーロットは集中治療室で五日間、モニターの監視を受けました。

ある朝、私は彼女がいる部屋に入り、ガラス戸とカーテンを閉めてワーシップ音楽をかけ、敵の顔の真ん前で神を賛美しました。その日、私はそこに立って、

「神様。彼女の身に何が起ころうとも、彼女がこの状態を切り抜けるかどうかに関わらず、あなたはどんな時でも良い方です。私はそのことを何時も宣言します。あなたに腹を立てることを拒否します。彼女の状態はあなたがもたらしたものではありませんから。」と言いました。そして、これからは私が講演する時は必ず、主が良い方であることを宣言することを誓いました。私はこの日、神がこれか

ら何かをしてくださるかどうかではなく、神がすでにしてくださっていることに感謝し、心から神に賛美を捧げました。

私たちはしばしば、「神は、レッスンとして我々に何かを教えるために病気をお許しになっている」と考えがちです。そして、父なる神の心は主イエスの心とは違い、主イエスと戦っていると結論づけたりします。私たちは、イエスが私たちのすべての病気を癒すことを理解する一方で、神は私たちが病気でいることを許されると考えがちです。

また、イエスは私たちを完全な者にされようとするが、御父の心はそうではないと考えたりします。このような論理を信じてしまうと、弱いクリスチャンが造られます。そして、教会がなぜ敗北の中を歩んでいるのかと、いぶかしがるのです。父なる神の御心は、私たちが満ち満ちて祝福された道を歩み、主イエスが代価を支払って勝ち取ってくださったものを受けとることです。

御子は神の栄光の輝き、また神の本質の完全な現れであり、その力あるみことばによって万物を保っておられます。また、罪のきよめを成し遂げて、すぐれて高い所の大能者の右の座に着かれました。

（ヘブル一・3）

神の善良性は私たちの境遇から判断すべきものではありません

主イエスの福音書の中には、イエスが誰かを病気に罹らせたという例はどこにもありません。ですから、御父の御心がイエスの御心と同じでないと信じることは、キリストが御父の完全な描写であるという真理にまったく反します。神は病をもたらすことなどなく、常にすべての人を癒そうとされています。福音が良い知らせである理由はここにあります。神の名前はエホバ・ラファ（癒し主）です。癒しは、神のご性質そのものです。

私は、病院の長女の部屋で一脚の椅子を私の前に置いて、「悪魔よ、そこに座って私のワーシップを見届けなさい。」と言いました。神を心から賛美し始めて二時間経ったころ、医師が部屋に入ってきて彼女の状態をチェックしたところ、出血が止まっていることが確認できたため、輸血用のすべての管が外されました。

私は神を責めることを拒否します。失望にきちんと向き合わず、神の意思では決してない重荷を背負って生きることは、神への理詰めの攻撃を増幅させます。大勢の人が集う場で「この中でいわれのない失意を経験したことがない人はいますか？」と訊くと、だれも手を挙げません。誰もがいわれのない失意を味わっています。しかし、その境遇にどう対処するかが、明日の実りを決定します。

私は、バプテスマのヨハネの首がはねられたことを知ったイエスのことが書かれた、マタイの福音書一四章の物語を思い出します。イエスは山に行って一人で御父に祈ろうとしますが、癒しを求める群衆が押し迫ってきてその思いが達成できません。主は病気の人々を癒し、湖の上を歩き、ペテロに水の上を歩かせ、癒しを求めて押し寄せて来る群衆にまた出会います。主は彼らの病を癒し、その後、やっと群衆から遠ざかり御父と共に過ごす時間を持ちます。

この時、イエスは御父と一緒に過ごす中で何をされたでしょう。私の思うところをいくつか挙げてみましょう。私たちは神の善良性を知ることが必要です。前に紹介したヘブル人への手紙一章三節にあるように、イエスは御父を完全に現していますので、主は最初に、天のお父様が善良な方であることを思い起こされたと私は信じています。癒すことが御父の心であるかどうか、また、御父は本当に良い方かどうかなどと思い煩いながら行なうミニストリーとは別の世界です。重荷や責任を抱えたまままでいると、それらは時間の経過とともに重たくなるばかりです。人に対して祈ろうとする気持ちも薄くなります。人に重荷を背負わせることは神の意思ではなく、福音とは違います。

重荷と栄光を十字架のもとに運ぶ時に、私がするもう一つのことがあります。それは、癒しが起こらない人々の重荷を受け取り、それらを私の心に火をつける導火線にしていることです。私は山に登って神の御顔に近づき、イエス・キリストという方についてもっと明確な啓示を受けなければならないと叫びます。主が支払って下さった代価、そして主の恵みと善良性について、また、主イエスが十字架で完了された偉大な働きの啓示を受けなければなりません。

最近、アメリカ中西部の集会で使徒の働き一〇章三八節からメッセージを行いました。その集会が開かれた教会には、ジョン・G・レーク師の個人的な聖書がありました。この聖書を手に取って、使徒の働き一〇章三八節を読むことは、私にとって大きな喜びとなりました。

聖句の中にある「すべて」という言葉を目にした時、それは私が到達していない領域であり、癒されずに残されている人たちはまだ痛みを抱えているということが、新たに胸に迫ってきました。

それは、ナザレのイエスのことです。神はこの方に聖霊と力を注がれました。このイエスは、神がともにおられたので、巡り歩いて良いわざをなし、また悪魔に制せられているすべての者をいやされました。（使徒の働き一〇・38）

御父と共に過ごされて山から戻ったイエスは、聖書の記述によると、主の着物の房に触った人もことごとく癒されたとあります。私には、常に天の父なる神と共に時間を過ごし、心を新鮮にして神の善良性や愛や栄光を胸に刻むことが欠かせません。私は、神を責める気持ちが少しでも私の心に入ることを許せません。

スピーチを行なった多くのカンファランスで奇跡が起きる時、たいてい同じ種類の病気の人が七、八人いて、その人たちに立ち上がってもらいます。すると、その中の一人は癒され、そのことを祝いますが、一方で、沈んだ心で座っている人もいて、「なぜ私は癒されないのか?」と言いたげな表情をしています。そのことが彼らの顔からはっきり見て取れます。そのような時、他人の奇跡を祝福すると、同じ奇跡が体験できます。私はしばしば、癒しが現れていない人たちに向かって、「いまこの場で癒しがあったことに感謝を捧げ、まるで自分に癒しがあったかのように、癒された人を祝福しましょう。」と言います。他人の癒しを祝福すると、多くの場合、その癒しはその場で自分にも起こります。

私の中にあった神を責める心を取り去ってから、側弯症と脊椎にまつわる病気に対する最大級の癒しを淀みなく体験しています。私の長女の癒しを起点としたそれらの奇跡の一つひとつに、私はワクワクしています。ある教会で、長女と同じくらいの年齢の女性で側弯症の人が、三人私の前に立ちました。彼女たちのひどく曲がった背骨は次々に真っ直ぐになりました。そのうちの一人は、肋骨が歪んでいましたが、脊椎が伸びると肋骨も所定の位置に戻りました。私たちは、人を祝福することを学び、神への不服を一切なくして、神に感謝する生活を送らなければなりません。

ハワイ旅行で出合った初老のビジネスマン

二〇〇八年、私はカンファランスに出席するため、ハワイ行の飛行機に乗っていました。そのカンファランスの講演者の生活を見倣うために、その人に会いたかったのです。私はサンフランシスコ空港に着いてから、ロサンゼルスに向かう乗り継ぎの便を待っていましたが、その便の運航が遅れ、予定していた便への乗り継ぎができませんでした。すると、一席だけ残っていたハワイ行の直行便に搭乗するように言われ、出発しました。

隣の席には、ハワイから来ていたビジネスで成功をおさめた男性が座りました。彼は私に、普段から「エコノミー・プラス席」(エコノミーより少しグレードの高いクラス)で旅をしているのかと訊きました。飛行機に飛び乗ったので、私はその時までそのことに気がつきませんでした。そうではないことを答えてから、私の方からも、いつもエコノミー・プラス席に座るのかと訊きました。彼は、普段はファーストクラスを使っているが、ファーストクラス席の人はあまり会話を好まないので、今回はグレードを下げ、どんな人が隣に座るのか見てみたかったと言いました。

彼は言いました。「さあ、政治について議論をしましょう。」

私は答えました。「あなたはお門違いの人に話しかけています。私は下院がどんなものかも知らないんですよ。」

彼は「いいでしょう。では、宗教について議論しましょう。」と言いました。私は、神が場を整え始められたことを知りました。彼は、私の仕事について訊いてきました。それは、私の好きな質問です。私は、ある人たちには医者のアシスタントと答え、別の人たちには、教師やカンファランスの講演者、あるいは作家（その時点では単にメールを書いていただけです）と答えています。私が日常的に目にしている奇跡について話し始めたところ、彼は驚きました。その後、「マゴリアムおじさんの不思議なおもちゃ屋」という映画を観てからしばらくの間寝ました。

私が目を覚ますと、彼は私を見て言いました。「クリスさん。あなたがどうしてこの映画が好きなのか分かります。あなたは、奇跡と不思議を信じているんですね。」彼は、それから私に質問しました。「あなたはいつも奇跡を見ていると言ったが、私の質問に正直に答えて欲しい。あなたは、ステージ四の癌や他の病気が癒された人の話をしてくれましたが、あなたが死んだ人に祈る時、どうするか訊きたいんです。」私は彼に尋ねました。「長い答えと短い答えのどちらがいいですか？」彼は、短い方を選びました。

私は、五つのことをしていると言いました。一つ目は、家族から死人に対する蘇りの祈りをする許可をもらうこと。二つ目は、もし蘇りがなかったら埋葬すること。それから、私は家族と一緒に悲しみます。これが三つめです。多くのクリスチャンは、哀悼するのは間違っていると考えています。私たちの哀悼の方法はこの世のものとは異なります。亡くなった人と再会できることを知った上で行なうもので、不信仰に結びつく哀悼ではありません。四つ目は、神を責めないこと。そして五つ目は、立ち上がって最前線に戻り、不可能という敵がイエスに跪くのを見るようにすることです。

彼は私を意味ありげに見詰めて言いました。

「私はこのような話を初めて聞きました。昔、日曜学校に通ったことがあるので、家に帰って聖書を引っ張り出して埃を払い、また読まなければいけないようだ。」

彼は事故に会って以来四七年間、足の痛みが消えない日はなかったのでした。足関節を繋ぎとめるために、ピンが何本も埋め込まれていたからです。私がぜひお祈りしたいと言うと、彼は乞うようにして祈りを求めました。私は、彼の願いの強さを量るために、彼を待たせました。飛行機が着陸して機外に出ました。カメラを忘れたので機内に取りに行き、戻って来ると彼はまだ待っていました。私たちは預けた荷物を一緒に取って、ビルの外に出ました。彼は、「いつでもどうぞ」と言いました。

私たちは通路のベンチに座り、神の善良性を解き放つ祈りの言葉を五秒程度言いました。私は彼に少し歩いて体をチェックしてみるように促しました。私は、奇跡を体験した人の顔の表情を見るのが好きです。六〇歳になるこの男性は、最初はゆっくり歩き、数秒もしないうちに辺りを子どものようにはしゃぎながら駆けていました。四七年間も抱えていた痛みから解放されたのです。

私は、「神に向けてしまう責める心」というテーマで、前の祈りの結果や何回祈りを受けたかということに関係なく、「今日という日はいつも、奇跡にとって最高の日」というスピーチを何回もしていますが、このメッセージによって個人的に解放を得たと言って私のところに来る人はほとんどいません。

多くのクリスチャンが、祈りが聞かれなかったことに痛みを感じ、癒しのミニストリーを諦めてしまいます。成功しなかったという心の荷が重すぎるからです。それでは、福音のレベルを下げてしまいます。そうではなく、過去の喪失を発奮の糧とし、経験に基づいて生きることを拒否しなければなりません。本来の福音のレベルに自身を設定し直し、それに向かって生きることです。癒しが起こらなかった痛みは、まだ到達していないレベルを知る機会として捉え、神のより大きな恵みと素晴らしさを肌で感じ取る解放が必要です。私は、敗北を味わい、何度ノックアウトされても、パウロの心境に倣って立ち上がり、常にミニストリーの最前線に戻ります。

…四方八方から苦しめられますが、窮することはありません。途方にくれていますが、行きづまることはありません。迫害されていますが、見捨てられることはありません。倒されますが、滅びません。

（コリント第二 四・8、9）

神に出来ないことは何もないことを確信することです。何回個人的に祈ってきたということには関係なく、奇跡にとって今日が最良の日であることを信じて生きることです。私は「今日は奇跡にとって最良の日だ」と娘のシャーロットに宣言しています。神が覗きたくて我慢ができなくなるほど熱心に祈ることです。父なる神の素晴らしさが解き放たれるとき、待ちに待った御国のすべてが応援してくれます。私たちが神の道を信じて歩む時、もっと多くの奇跡を体験するようになると私は確信しています。

数年前、「神様、私はもっと奇跡が見たいです。」と祈った時、神は「それなら、もっと人のために祈りなさい。」とはっきり答えられました。出かけて行って父なる神の素晴らしさをこの世に解き放ち、イエスが贖って下さったすべてのことが報われるようにしようではありませんか。

第三章　信仰に導く秘密の鍵

ベテル教会での仕事の一つとして、私は、素晴らしいリバイバリストに会って話を聞くという特権に預かっています。私のミニストリーがもっと実を結ぶように、彼らから洞察を得るために、いつも質問をします。

癒しの伝道師であるジャック・コア・ジュニアさんもその中の一人でした。彼は、信じる力について教えてくれました。

「ブレークスルーの鍵となるものはなにか？」と彼に尋ねました。

「神を信じ、御言葉から神を受け取ることだ。」と彼は答えました。信仰による癒し手として知られた彼の父親、ジャック・コアさん（一九一八年〜一九五六年）は、記者から「神の力を授かるために断食をするか？」と聞かれ、「いいえ。私は食べます。そして、神を信じます。」と応答したそうです。

私はここで、論理的な話しをするつもりはありません。ただ、神ご自身が語られる通りの方であると信じるとき、私たちは力をもらえると言いたいのです。イエスは、会堂管理者に、「怖れることはない。ただ信じなさい。」と言われました。神のご性質に信頼することは、あなたの生活にブレークスルーを見る重要な鍵になります。イエスは例外なく、求めて来るすべての人を癒しました。主は、嵐を祝福したことがなく、ハリケーンや津波を歓迎していません。葬儀はご自身のものも含めて、すべて覆されました。注1

主の内にある子どものような信仰、信頼、確信の道を歩める真の信仰心を持つ人間になることを夢見ています。それは、神の御言葉を自分の体験に当てはめるのではなく、御言葉の基準に自分の体験を引き上げるように努める生き方です。

では、信仰とはなんでしょうか？

イエスは言われました。「人の子が来たとき、はたして地上に信仰が見られるでしょうか。」

（ルカ一八・8）

私は長い間、この聖句について思索を重ね、「信仰とは？」と自分に問いかけてきました。そして、「神はご自身が語られたとおりのお方であることを信じること」という結論に達しました。

「私たちへのレッスンために神は病気をもたらしている」
「神が本当に癒してくださるかどうかよく分からない」
「問題だけを自分の視点から見てしまう」

こんな考えを持っていては、神を癒し主として信じられるはずがありません。問題よりも、神の答えは遥かに大きいのです。このことは後述します。

私たちの信仰に信頼するということではなく、神はご自身が語られたとおりのお方であることを信じることが大切なのです。自分は奇跡を生むに足る信仰を持っているか、ということに多くの人が目を向けます。私はむしろ、疑うことを知らず、強力で、決してぶれることがない神に信頼をおく方を選択します。

私の少年時代、父は建築業に従事していました。父の建築現場にランチを食べに行った時のことを覚えています。父は私に資材の材木を持ち上げるのを手伝って欲しいと言いました。父は屈強な男で、私はほんの四歳でした。父は材木を持ち上げるために私の手助けを必要としたでしょうか。その必要はまったくなかったのですが、父はあえて私に頼み、自分が真ん中を抱え、私に端を持たせました。私たちは一緒に材木を持ち上げ、予定していた場所に運びました。父は私が努力したことに感謝しました。

「もしお前がいなかったら、運ぶことができたかどうか分からないよ。」と父は言い、私は自分がスーパーマンになったような気分で、そこを離れました。

この材木運びの時、私の筋肉が結果の違いに影響を与えたでしょうか。信仰は自分の筋肉だと思いがちですが、実際に材木を持ち上げる重労働を担ったのは父です。

私は努力して持ち上げようと力を込めました。しかし、現実的には私の努力はそれほど結果に影響を及ぼしませんでした。それでも、私の努力は必要だったのです。運び終わった後、私が自分のことを強い男の子だと思うようにするためにです。実際に重労働を担ったのは父であったとしてもです。同じような方法で、私たちを通して神が働かれます。私たちの努力を神の働きに加え、神が結果を生み出します。私は、一人では材木を持ち上げられないことを知っていましたが、父の強さに信頼していました。そして、私が父とともに働けるように父が計画してくれたことを知っていました。

聖書は、マタイ十章七～八節で「**病人をいやし、死人を生き返らせ、ツァラアトに冒された者をきよめなさい。**」と告げています。これは、私たちに試してみなさいという提案ではなく、また、「奇跡が起こることを期待して祈りなさい。」とも言っていません。実際に「病人を癒しなさい。」と言っています。

聖書で「しなさい」と言われていることで、実際にできないことなどあるでしょうか。癒しは、自分の力で癒そうとする時には起こりえません。すべては、イエスがして下さいます。私たちの中におられる主が、私たちを通して働いてくださるのです。

私がカンファランスで好んで使う表現の一つに、「キリストはあなたの町に対する答えではありません。私もその答えではありません。あなたの町に対する答えは、私たちの中におられ、私たちを通して働かれるキリストです。」というのがあります。私はその言葉を聴いて浮かべる、皆さんの驚いた表情を見るのが楽しみです。

多くの人が結果を求めて、私の祈り方を見に来て真似ようとします。癒しが起こる様子を体験することには利点もありますし、私も「深刻な病気を癒したいのなら卓越した癒し手のそばにいることだ」といつも教えてもらってきました。注2

ともすると人は、私の祈りの中に、癒しの公式や魔法の杖や手品のようなものを探します。しかし、私の祈りが癒すのではなく、癒し主はあくまでも主イエスだということを彼らに言います。

多くの人は、着飾ったような祈りがよいと信じたり、主が癒し主であることよりも、自分自身の信仰に頼ったりします。私たちの祈り方はそれとは相当異なります。私たちは、神の名前は癒し主であり、私たちの中におられるその主が私たちを通して人を癒されることを、子どものように純粋に信じて祈ります。

私たちは子どものころ、父親の言葉を信じ実行していました。私は幼い頃、父が私にできると言ったことは何でもできると単純に信じていました。私の子供たちも、小さいころはそうでした。子供たちは決して私を疑いませんでした。彼らは、私ができると言ったことは必ずできると信じ切っていました。

ところが、成長するにつれて論理的な視点で世の中を見るようになり、成熟という名のもとに父親を信じることや、子供のような純粋な信仰を脇に押しのけ、自分が持っている可能性に蓋をしてしまいます。教会がこの殻を破って、神の御国が私たちの中にあって、神が私たちにできると言われたことは何でもできると、子どものような信仰に立ち返ったらどうなるでしょうか。

耳が聞こえない人が耳を開き、見えない人が目を開き、ガンで余命数日か数週間と言われた人が完全に回復する理由を探すのは、私たちの仕事ではありません。では、私たちの仕事は何なのでしょうか。

私たちの仕事は非常にシンプルで、神はご自分の仕事を完璧にされると信じることだけです。神が聖書の中で最初に明らかにされたご自身の名前は、「癒し主」です。「**わたしは主、あなたをいやす者である。**」（出エジプト記一五・26）

このことによって、主にすべてを委ねる子どものような信仰に立ち返ることができます。では、どうしたら子どものような信仰に留まることができるのでしょうか。

神の視点で状況を見ることです。神は失った腕を見ません。神は失った腕をあるものとしてご覧になります。子どものような信仰とは、その神が私たちの中におられ、私たちを通して働かれることを理解することです。それが人間の姿であり、聖書にも、自分自身の力では何もできないと書いてあります。そうであるなら、すべてを神に委ねるしかありません。すべてを神にお任せするとき、御国の豊さと実りを得ます。

わたしはぶどうの木で、あなたがたは枝です。人がわたしにとどまり、わたしもその人の中にとどまっているなら、そういう人は多くの実を結びます。わたしを離れては、あなたがたは何もすることができないからです。(ヨハネ十五・5)

すべてを委ねるこの時、恵みの力が訪れます。主の恵みが現れると、今までできなかったことを成し遂げる力が与えられます。目の前の状況を神の視点で見ることを学ばなければなりません。なぜなら、神の目で問題を見る信仰によって、私たちはその問題に打ち勝つからです。問題が答えよりも大きいことを許してはいけません。

信仰はどのくらい必要でしょうか

奇跡を見るために十分な信仰を持っているだろうかといった迷いは、私たちを消耗させます。そういった戸惑いがあると、奇跡は私たちのところにやって来ません。神の偉大な癒しの御業が必要となる状況が目の前に現れると、自分の内面を見ざるをえなくなります。私の経験では、そのような時に自分の信仰が十分であるかどうかと内面を見つめてしまうと、私の目は答えから逸れて自分を見てしまい、信仰の度合いを測れば測るほど、必要とする奇跡を見るには不十分な信仰しか持てない結果を招いてしまいます。

「…**神はおのおのに信仰の測りを与えてくださっています**」（ローマ十二・3英語聖書直訳）私たちは、すでに信仰の量りをいただいているのです。マタイ一七章二〇節には次のように書いてあります。「…**もし、からし種ほどの信仰があったら、この山に、『ここからあそこに移れ』と言えば移るのです。どんなことでも、あなたがたにできないことはありません。**」主イエスを主と告白したその瞬間から神の信仰が私たちの中に入っています。どのような召しであれ、あなたはすでにそれを成し遂げるに足る信仰を備えているのです。信仰は受動的なものではなく、積極的な休息です。

ですから、私の信仰は、自分には十分な信仰があるかどうかを内省的に見つめることからくるのではありません。すでに信仰の量りは与えられていて、信仰は、神の御言葉を聞くことによってもたらされます。私はかつて、この意味について信仰は聖書を読むことからくるのだと受け取っていました。しかし、十二使徒たちの時代には、彼らがデボーションのために読む新約聖書はまだ存在していませんでしたが、彼等は信仰に満ちていたように見えます。その理由は、彼らは神が直接語られる言葉であるレーマを聞いていたからなのでしょう。このことを知ると、イエスのされたこと、いまもしてくださっていること、また、御父の愛についての理解が深まります。

「人は律法の行いによっては義と認められず、ただキリスト・イエスを信じる信仰によって義と認められる、ということを知ったからこそ、…」（ガラテヤ二・16）

この聖句の「キリスト・イエスにあっての信仰」の英文は「faith in Jesus Christ」ですが、多くの新約聖書学者は、これには主語属格が含まれているため、「Christ's faith, the faith of Christ（キリストの信仰）」、もしくは、「Christ's faithfulness（キリストの誠実さ）」と読めると主張しています。ギリシャ語では、属格接尾辞が含まれているため、「the faith of／from Christ（キリストの／からの信仰）」というニュアンスになります。

「しかし、人は律法の行いによっては義と認められず、ただキリスト・イエスを信じる信仰によって義と認められる、ということを知ったからこそ、私たちもキリスト・イエスを信じたのです。これは、律法の行いによってではなく、キリストを信じる信仰によって義と認められるためです。なぜなら、律法の行いによって義と認められる者は、ひとりもいないからです。」（ガラテヤ二・16）

この聖句は、私たちはキリストの信仰、または誠実さに信頼することによって救われたことを暗示しています。イエスは、御父を完全に喜ばせ、代価を支払い、人間を贖い、呪われた人となり、死に打ち勝ちました。主イエスの信仰と誠実さは勝利しました。重労働はすべて主がされました。注2

このことは、信仰への葛藤が生じたり、希望を少し見失ったりした最悪の日でも、あなたに与えられる救いや恵みや喜びは減ることがないことを意味しています。あなたの目線を聖書の作者であり完成者である主イエスに固定してください。主は、あなたの信仰を始めさせ、また、完成させて下さるお方です。主にあって羽を休めてください。すると、良い仕事を始められた主が誠実にあなたのうちに仕事を完成してくださいます。「あなたがたのうちに良い働きを始められ、それを完成させて下さる主イエスは誠実な方です。」（ピリピ一・6参照）

さらに言えば、あなたは状況を満たすために「十分な」信仰を捻りだす必要はないということです。イエスはあなたのために、あなたが置かれているような制約に会われました。主の誠実さに信頼してください。神は常に、あらゆる奇跡、力の業、恵みを、しもべであるイエスに栄光を与えるためだけに現わされました（使徒の働き三・13参照）。イエスは、あなたが救われることを確信して、ご自分の意思で十字架に行かれました。ペテロは自身の書簡を次のように書き始めています。

「神と私たちの主イエスを知ることによって、恵みと平安が、あなたがたの上にますます豊かにされますように。というのは、私たちをご自身の栄光と徳によってお召しになった方を私たちが知ったことによって、主イエスの、神としての御力は、いのちと敬虔に関するすべてのことを私たちに与えるからです。」(第IIペテロ一・2～3)

そして、次の言葉で書簡を終えています。

「私たちの主であり救い主であるイエス・キリストの恵みと知識において成長しなさい。」

(第IIペテロ三・18)

私の信仰は、イエスのご性質である善良さ、恵み、豊かさ、そして愛の深さを思い起こすこと、そして、主の視点から状況を見るように自分を整えようとすることからやって来ます。私は、自分の信仰がもっと成長し、またクリスチャンの信仰も同様に成長することを願っています。私たちが主の善良性や恵みや偉大な悟りを知れば知るほど、イエス・キリストに近づき、その副産物として溢れる信仰がやってくるからです。
私の信仰はイエスにのみ置いており、そのように選択しています。私の信仰は祈りの中にはありません。主の視点から状況を見ようとして時を刻む中で、信仰が訪れます。
「**なぜなら、私たちもこの世にあってキリストと同じような者であるからです。**」（第Ⅰヨハネ四・17）
私たちの信仰の大きさが問われているのではなく、私たちの神がいかに大きな方であるかを知ることがポイントです。

血潮の力

出エジプト記十一章、十二章では、死の御使いが血を見てその家を過ぎ越す一方、エジプトの各家の初子を殺す話しが語られています。

あなたがたのいる家々の血は、あなたがたのためにしるしとなる。わたしはその血を見て、あなたがたの所を通り越そう。わたしがエジプトの地を打つとき、あなたがたには滅びのわざわいは起こらない。（出エジプト記十二・13）

驚くような話です。血を見た御使いは、そこを通り過ぎると書かれています。イスラエルの民は神のことばを絶対的なものとして受け取ったと、私は信じています。私は、御使いが通り過ぎるためには自分たちの信仰が不十分なのではとイスラエルの民が危惧したとは思いません。「私は丈夫なのだろうか」「死ぬのではないか」「信仰が足りないような気がする」。彼らがこんなことを言ったとは思いません。なぜそう思わないのでしょう。

それは、血潮の力だけで十分だからです。彼らの信仰は神の言葉の中にあり、自分自身への信仰ではありませんでした。彼らの信仰は、神のご性質と神のおっしゃった「血を見る時、私は過ぎ越す」という言葉の内にありました。イエスの血潮の偉大さは測り知ることができません。

私の信仰は、私にではなく、主にあります。

私は、奇跡を見ることに対する信仰の必要性、また、特別な奇跡に対する特別な信仰の必要性をことさらに強調すると、人々を誤った方向に導きやすいと信じています。信仰はクリスチャン生活にも、奇跡への道程にも欠かせないものです。しかし、癒しに必要な信仰とは、「癒しを受けたり、癒し手として神に用いられるために必要な信仰が自分には十分あるでしょうか？」といった精神的、あるいは、内省的な視点に立って見ることとは別であることを強調したいと思います。

福音書を読み通すと、イエスのみもとにやって来た人々はどの説話においても、「イエス様、私の信仰の大きさを見て下さい。私は癒しを受けるだけの信仰を持っています。」とは決して言っていません。人々は、主のご性質を知ったが故に、みもとに来るのです。人々は主の愛、善良さ、恵み、威厳を見てみもとにやって来て、それをご覧になったイエスが彼らの中に信仰を見たのです。主は、みもとに来た人はすべて癒し、そして、彼らが癒されると彼らの信仰を認められました。

キリストの贖いに対する啓示を多く受ければ受けるほど、癒しが起こるのは、私がしたことや私の働きによってはなく、キリストがなさっているということが身に染みて分かり、より高い権威を帯びて奉仕ができます。癒しが主の働きであることが分かるほどに、私は安らぎの内に奉仕ができ、より多くの実を見ています。

主イエスの誠実さにただ思いを寄せるとき、私の心に信仰が立ち昇ります。そして、主の展望と目線で状況を見るようにすると、答えが見え、問題に圧倒されることがなくなります。主の素晴らしさに圧倒される只中に自分を置き、「答えである主」に全神経を傾けることが私には欠かせません。

注1「神とともに見る夢」（ビル・ジョンソン著）参照　-マルコーシュ・パブリケーション-
注2「励ます力」（ビル・ジョンソン著）参照　-マルコーシュ・パブリケーション-

第四章　疑いを取り除く

多くの人は、信仰の無さが癒しのミニストリーに成果が出ない要因と考えています。しかし、私は、疑いを持つことの方がより大きく影響していると信じています。私たちの多くは、結果のでないことを信仰の薄さに起因させる、力のない神学を持つ教会で育ってきました。私の人生においても、そうした疑いに関する例があり、私は何年にも渡ってそのことと格闘しなければなりませんでした。この教訓は、癒しの祈りを受ける際にも、また、イエスの力の中で癒しの奉仕をする時にも役に立つでしょう。

疑いと癒し

癒しの結果が出なくなればなるほど、私たちは、自分の働きが少ないからだと思ってしまいます。私たちは、失敗が重なるともっと頑張らなければと思い、働きをもっと強めます。働きを強めると落胆や不満が溜まり、失望が溜まると、不信仰や疑いがより多く私たちの生活に入り込んできます。

癒しは私たちの働きではありません。すべてが主の御業であり、血潮の贖いの力です。癒しが難しくなるのは、自分の力が結果に関係すると思う時だけです。私はこのことを好んで人々に伝えています。癒しは、私たちの働きには関係がありません。私たちの中におられる主が、私たちを通して働かれることがすべてです。もし私たちの働きによって癒しが起こり、あるいは、私たちがしたことやしなかったことに癒しが関係するとしたら、イエスの血の贖いは無駄です。癒しは、私たちに求めることではなく、主イエスに求めることです。

癒しの集会でよく、「私は癒しを受けるのに十分な信仰を持っているでしょうか？」と参加者から訊かれます。恵みは、神による身に余る好意です。癒しに値しない私たちが癒しを受けていることが感謝でなりません。ここに、恵みと呼ばれる言葉の所以(ゆえん)があります。

恵みは、見返りを求めない神の好意というだけでなく、それよりも遥かに大きく、また、私たちの生活に超自然的な力を与えてくれます。その力の臨在は、私たちに平安と喜びと義を、また、召しを行動に移す力と、召しの中に留まる力をもたらします。

癒しは、私たちの働きや功績に関するものではありません。イエスは、私たちがあるがままの姿でみもとに来ることをお望みです。

「先生、私には生活面で正しくないところがあります」と言う人がいます。私は、「それは大丈夫です。主イエスはあなたが抱えている問題よりも遥かに大きい方です。主は、私たちを悔い改めへと導いて下さる素晴らしい方です。」と答えます。主は、あるがままの私たちを愛してくださっています。神の御前に立つ前に聖くなる必要はなく、今のままで御前に行くことができます。

色々な神を信じ、偶像礼拝が行われているアジア地域でミニストリーをしていた時のことです。ある夜、数百にも及ぶ画期的な奇跡が起こり、傷んだ体が癒されました。その時私は、「あなたたちの神と一緒に、私たちの神のもとに来てください。」と言って数人の人を驚かせました。

「今のあなたのままで来て下さい。神はあなたを愛し、癒そうとされています。」と伝えました。私たちはその夜、最大級の奇跡が展開されるのを見ました。口がきけず耳の聞こえない二人の人が癒され、生まれた時から目が見えない少年も癒されました。そして、私がステージから参加者に向かって、救われることを求める人を呼びかけたところ、約八百人がイエスさまを、主と告白しました。

そうです。癒しは私たちの行いに求めるものではなく、主に求めるものです。もし、これらの人々の行動が原因であったとしたら、私たちは奇跡を見ることがなかったでしょう。

もし、私たちの行動が癒しに関係する場合には、神に触れられるために私たちは完全な者にならなければなりません。このことは、クリスチャンのみならず、イエスをまだ知らない人たちをも、除け者にすることになります。あなたが主イエスを知っていても知らなくても、また、あなたが他の宗教を持っていても、主はそれでもあなたを癒そうとされます。「でも牧師先生、私が置かれている状況がどんなに過酷で暗いか、あなたはご存じではありません。」と言う人がいます。

「友よ、いまこそイエスに輝いて頂くときです」と、私は答えます。

光が闇より輝いているのなら、闇は問題にさえなりません
闇の力が弱まるよう願う必要もありません

私たちは闇を察知するように条件づけられていますが、闇は問題ではありません。光が闇より輝いているのなら、闇は問題にさえならないことに気づきます。闇の力が弱まるよう願う必要もありません。では、どのように闇を取り去ったら良いでしょう。あなたの光をもっと輝かせるだけでよいのです。

「起きよ。光を放て。あなたの光が来て、主の栄光があなたの上に輝いているからだ。」（イザヤ六〇・1）

「このように、あなたがたの光を人々の前で輝かせ、人々があなたがたの良い行いを見て、天におられるあなたがたの父をあがめるようにしなさい。」（マタイ五・16）

私たちは、主の栄光を映すために存在するのではなく、主の栄光を私たちが輝かすためにここにい

るのです。私たちの中に主が住んでおられるからです。映すのは辞めて、輝かせましょう。「**罪の増し加わるところには、恵みも満ちあふれました。**」（ローマ五・20）
啓示によって私たちがこの聖句の真意を理解すると、つらくて困難な場所などはもう存在しなくなります。私が自分で好んで口にする言葉は、「居心地の良い場所がある。」というものです。訪れる場所が暗ければ暗いほど、輝き易いことが分かってきました。本当に居心地の良い場所がある。恵みはさらに増し加わり、主の素晴しさが人々を悔い改めへと導きます。「私は神を信じないし、イエスも知らない。」という人もいます。私の答えはシンプルです。
「それでも主イエスはあなたを信じているし、あなたのことをご存知です。」

みこころについての疑い

多くの人は、神はあなたではなく誰か他の人を用いて、あなたの近くにいる人を癒そうとされていると信じているようです。

多くの人は自分以外の人に対する神の御心を疑わないが、自分に対する御心を疑う

マタイ八章二～三節には、ツァラアトに冒された人の話が出ていて、彼がイエスのみもとに来て賛美し、「主よ。お心一つで、私をきよくしていただけます。」と言ったと書いてあります。そのとき、イエスは手を伸ばして彼に触り、「わたしの心だ。きよくなれ」と言われました。すると、すぐに彼のツァラアトは聖められました。

私は、癒しのミニストリーで病気の人を前にして主のみこころに疑問を感じた時、いちど主から目を離します。すると、主の目に憐れみ、愛、慈しみ、恵みがあふれていることが深く感じられ、問題から離れて、答えに焦点を合わせることができます。そして、マタイ八章でおっしゃっておられる「私のこころだ」という声がこだまのように聞こえてきます。

私たちは、常に癒そうとされる主の御心を知ったうえで祈らなければなりません。それが揺らいだ立ち位置から祈ると、ミニストリーの核心を欠き、見えない天井に向かって祈るようになってしまいます。私たちには、病気が存在しない御国の現実を地上にもたらす召しがあります。常に癒そうとされているのが御心です。誰を癒し、誰を癒さないかを決めるために天国の御座におられるのではありません。二千年前に主イエスが十字架の上で私たちの罪と病気をすべて取り払ってくださった時点で、すでに癒そうとされる意思を固めておられます。

「自分から十字架の上で、私たちの罪をその身に負われました。それは、私たちが罪を離れ、義のために生きるためです。キリストの打ち傷のゆえに、あなたがたは、いやされたのです。」

（第Ｉペテロ二・24）

神の目的への疑い

今日の教会が抱えている最大の問題の一つは、神の目的を誤って理解していることです。幸い多くの教会が変わりつつありますが、それでもなお、神はある目的を持って人を病気にする、と多くの人が信じています。イエスをミニストリーの型見本とする時、このように信じる根拠は絶対にありません。聖句のどこをさがしても、病気が神の恵みの一つであるなどとは書いてありません。病気や事故が神聖で素晴らしい神の目的であるかのように、キリストや弟子たちが行動したことも決してありません。人々の性格を一新させる手段として、また、悔い改めに導くために神が病気を使うといった教えは、聖書のどの個所にもありません。

私は、人が神の期待に反して陥った悪い状態から、神は良いものを生み出すことができるという考えを強く支持します。このことは、その人を助けるために、神が人を病気や事故に合わせるという考えとはかけ離れています。この世の良い父親と同様に、私たちの生活が神の望んだ状態でなかったとしても、神は子である私たちにとって最良のものを願われています。

癒しのタイミングについての疑い

この疑いは、前述の「御心についての疑い」と「神の目的への疑い」と密接に繋がっています。私たちは、自分の力のなさを正当化するために教義を簡単につくってしまいます。多くの人は、クリスチャンとしての経験の中で生活していて、彼らの神学は、御言葉と反した経験に基づいて築かれています。二千年前に代価の支払いは完了しており、その時が神の奇跡のタイミングなのです。いま奇跡が起きないのは、神のタイミングの問題ではなく、私たちが奇跡にしっかりと繋がっていないためです。癒しに対する働きは、すでに完結しています。救い主は、ご自分がされようとしたことをすでに完了されました。私たちは今、御国の現実を地上にもたらすために、贖って下さったものを手に入れる必要があります。

イエスの生活を見ると、主は人々がみもとに癒しを求めて来た時をタイミングとして、常に癒しておられます。奇跡は神のタイミングによってされることではないので、イエスは誰一人として追い返すことはなさいませんでした。信仰には、御国の現実を今日ここに引き寄せる力があります。天国の現実は、信仰の祈り手が祈る特に解き放たれます。しかし、私たちは様々な状況において、自分たちの経験に福音のレベルを引き下げているため、「ある特定の時間に不思議が訪れる」といった別の福音を創ってしまい、今日起こる奇跡を明日に延ばしています。

私たちの神学は、御国の到来について、御国がすでに来ているとするのとは反対のものになっています。それは、期待しているような奇跡が起こるのを私たちが見ていないからであって、私たちは「やって来つつある」いった範疇に御国を押しやっています。御国に終わりはありません（ルカ一・33参照）。その意味では、「来つづけている」訳ですが、私は、奇跡を見ない理由を「来つつある」とすることで正当化するのを拒否します。私は、私たちが考えている以上に、御国をもっともっと体験できると信じています。

『そら、ここにある』とか、『あそこにある』とか言えるようなものではありません。いいですか。神の国は、あなたがたのただ中にあるのです。」（ルカ一七・21）

私は、可能な限りこの地上に御国をもたらしたいと思っています。私は御国に行って、地上に持ってくる御国を幾つか見つけたいとは思っていません。神の御国には終わりがないのですから、御国は来つづけているのです。

「御国が来ますように。みこころが天で行われるように地でも行われますように」という、祈りのモデルであるマタイ六章一〇節について考察してみましょう。これは、信徒が純粋に地上から御国に懇願する祈りなのでしょうか。エペソ二章六節「キリスト・イエスにおいて、ともによみがえらせ、ともに天の所にすわらせてくださいました。」は、どうでしょうか。私たちがこの聖句の現実の中に生きる時、この聖句は単なる理論ではなくなり、主の祈りの「御国が来ますように」は、御国から地上に向かって祈る信徒の生活の予言的な宣言にならないでしょうか。

私たちは主の祈りを、御国が地上に来ることを請い願うだけのものに引き下げてしまい、御国は信徒の生活の中に存在し、信徒は病気や死に対する答えを内に持っている、という観点で生きていないのではないでしょうか。

私は超自然的な出来事を愛しますが、それ以上に愛しているのは、イエスというお方です。主イエスを注視し、主の生き方をモデルとして見倣えば見倣うほど、私の個人的な体験は御国で体験することと並びます。もしあなたがイエスの生活を彷彿とさせる癒しのミニストリーを望むのでしたら、イエスをモデルとしてイエスがされたことをその通りに行うことです。主は、人の過去の過ちに目を留めることはなさいませんでした。主は、常に答えと御父の栄光を解き放とうとされました。

「またイエスは道の途中で、生まれつきの盲人を見られた。弟子たちは彼についてイエスに質問して言った。「先生。彼が盲目に生まれついたのは、だれが罪を犯したからですか。この人ですか。その両親ですか。」イエスは答えられた。「この人が罪を犯したのでもなく、両親でもありません。神のわざがこの人に現れるためです。」（ヨハネ九・1～3）

奇跡の目的は、神の栄光が顕されることです。神は、私たちの病気の中には顕されません。神は人を病気にし、それから癒すという考え方は、それ自体が病的で不健康です。

信仰が足りないという疑問

私は信仰を愛しています。信仰は御国のお金です。貨幣によって国の経済が回るように、御国への信仰は、御国の現実を地上に侵入させます。その際、問題となるのは、信仰の欠如ではなく、疑う心です。多くの人が、信仰の欠如が問題だと信じています。私はある教会で最近、自分の病気が癒されないのは自分の信仰が足りないからだと思っている人、また、神の御業が自分を通して流れないのは、自分の信仰が弱いからだと考えている人に立ち上がってもらいました。私は、少しの人が立ち上がると予想していましたが、ショッキングなことに、七割を超える人が立ちました。

イエスを私たちのミニストリーのモデルとすると、主は信仰が足りないという理由で、人々をみもとから追い返すようなことは誰にもなさいませんでした。聖書によると、主イエスのみもとには、信仰の薄い人から厚い人まで様々な人が来たことは明らかです。主はいつも、彼らをあるがままの姿に立ち返らせて受入れ、誰も退けはしませんでした。主は常に彼らの信仰を励まし、癒されました。

マルコ九章一七〜二四節では、悪霊に憑りつかれた息子を弟子たちのところに連れて来た父親のことが書かれています。弟子たちは、その息子を癒すことが出来ませんでした。そこで父親は、息子をイエスのみもとに連れて来て、「もし、おできになるものなら」と言いました。イエスに「もしできるものなら」と尋ねなければならなかったほどに、父親には十分な信仰がなかったことは明らかです。その彼に主は、「信じる者には、どんなことでもできるのです。」と言われました。すると父親は、「信じます。不信仰な私をお助けください。」と涙とともに叫んで言いました。

主のみもとに息子を連れて来るという信仰はあったものの、厚い信仰を表わしたとは言えない父親です。彼は信じると言いましたが、彼の不信仰に関する助けが必要でした。たとえ彼の信仰が小さなものであったとしても、その信仰の欠如は問題となっていません。実際に、不信仰が表われていても、イエスは癒しておられます。

マタイ八章では、ツァラアトを患っている男の人がイエスのみもとにやって来ます。彼はイエスの力は決して疑っていないようですが、イエスに彼を癒す御心があるかどうか疑っています。この人は、ご自分の力を決して疑わないイエスが、他の人を癒すのを見ていました。それでも、彼は御心を疑っていました。私が思うには、この人は、悪霊に憑りつかれた息子をみもとに連れてきたあの父親より大きな信仰を持っていたと思います。イエスはこの人もあるがままの姿に立ち返らせて受入れ、「わたしの心だ。きよくなれ」と言って彼の信仰を確かなものとされました。すると、彼のツァラアトはすぐに癒されました。

神によって今日癒されると彼らが信じるかどうかなどには左右されません。神は、そういった信仰の小さい信徒の内にもおられます。神は、癒しの力を外に解き放つ道を探しておられます。このことについては、十一章でもっと詳しくお話します。疑いの心を取り除き、なぜ私たちは癒されるべきなのかということに関心を向けましょう。そうすると、もっと多くの奇跡をみることでしょう。

第五章　事実ＶＳ真理

癒しの力の中を歩んできた人生の旅を通して、私は自分が将来すること、或いはしないことについて多くを学んできました。私たちは、時には厳しい訓練によって成長することが必要です。私にとって早い段階での最大の訓練は、事実と真理の違いを学んだことでした。事実も現実ですが、もっともっと大きな現実が真理として常に存在するということです。癒しのミニストリーをする時、また、自分自身が奇跡を求める時、生活環境の中にその真理が現実性を持っていとも簡単に息づきます。

人々は、問題や遭遇している環境自体に常に目を向ける傾向があります。私は、実際の状況を否定しているのではありません。もしあなたが病気なら、癒しが必要なのは事実です。しかし、私は、病気は事実ですが、その病気を癒してくださる、癒し主としてイエスが存在するという真理を語りたいのです。

信仰は事実に根差すものではなく、真理の中にあるものです

現状に不平を言い、消耗し、より高い領域の真理を見る視野を失うことは非常に簡単です。祈りを受けに私のところにやってくる人たちは、彼らが直面している問題のことばかりを話したがります。彼らは事実を私に伝えようとします。それも、事実のすべてについてです。

多くの場合、彼らが本当に探しているのは、彼らや彼らの問題と一緒に戦ってくれるパートナーです。私はそこに、答えを持っているパートナーと一緒にいます。それはイエス・キリストです。私たちは、話される事実に注意深く対処しないと、彼らに対する同情にたやすく引き込まれます。

私は、ヨナ書のストーリーに打ちのめされました。二章でヨナは、鯨のお腹の中で体験したことを語ります。ヨナは、彼が置かれた事実から語り始めます。「彼らは私を海の真ん中の深みに投げ込みました」「波と大波がみな私の上を越えて行き、私は神の視野から取り除かれました」。別の翻訳版の聖書では、**「水が死に至るまで私を覆いました…海藻が私の頭にからみつきました」**（NASBヨナ二・5）と記されています。

しかし、ここからヨナのトーンが変わってきます。

むなしい偶像に心を留める者は、自分への恵みを捨てます。（ヨナ二・8）

これは力強い言葉です。ヨナは、自分が引き寄せた「事実」（大波や海藻）は、「価値のない虚栄や偶像」だと呼んでいるではありませんか。

これは、目の前で起こっている事実を否定することではありません。事実を直視しながらも、それに打ち勝つことができる天国の無限の可能性（信仰）がある、という真理を言っています。困難がやって来ないということではなく、この真理は神の善良性と天国の無限の豊かさの現れであり、困難を打ち破り、どんな時でも神に不平を思わない真の平安が感じられる生活へと我々を導きます。

同情は問題の中に人を閉じ込め、憐れみはそこから人を脱出させます。
次のヨナ書二章六～七節は、私が本当に好きな聖句です。

私は山々の根元まで下り、地のかんぬきが、いつまでも私の上にありました。しかし、私の神、主よ。あなたは私のいのちを穴から引き上げてくださいました。私のたましいが私のうちに衰え果てたとき、私は主を思い出しました。私の祈りはあなたに、あなたの聖なる宮に届きました。（ヨナ二・6～7）

私は、感謝の声をあげて、あなたにいけにえをささげ、私の誓いを果たしましょう。救いは主のものです。（ヨナ二・9）

ヨナは、自分が置かれている状況をすべて語った後、真理へと目線を転換し、それから感謝に向かいます。彼が感謝のいけにえの声を挙げ、救いは主のものであることを宣言した直後に、主が鯨に話しかけ、鯨は彼を乾いた地に吐き出します。ヨナのブレークスルーは、彼が問題から目を離し、神に目を向けて感謝の声を挙げた直後にやって来ていることに注目して下さい。彼の関心が主に向い主を思い起こした時、救いは直ちに訪れました。

私たちは、問題を神より大きく見て生活することはできません。私たちは、問題に心を捉われると、問題を讃え始めます。関わることにおいて、犠牲者として結末を迎えないように注意して下さい。

往々にして私たちは、不平を言うことが解決策になると思いがちです。それは、現実としては、真理（答え）より事実（問題）を高いところにおいて崇めてしまうことになります。問題に不平を言って問題を崇めてしまうと、実際にはそれがネガティブな預言となって、問題をさらに大きな現実にしてしまうと私は確信しています。

このことに関して、私がブラジルのリオデジャネイロで行ったミニストリーから、飛行機で帰って来る時に起こったある体験を簡潔に説明します。この体験談は癒しとは関係ないのですが、主は私に強烈な教訓を与えてくれました。

私が飛行機に乗ろうとしていると、搭乗エリアに小さな籠に入った子猫と一緒に、一人のお嬢さんがいました。私は友人に猫の搭乗は許されていないことを話し、そのことで不平を言い並べました。

七四七‐四〇〇型の飛行機は満席でした。搭乗して座ると、通路の前方から、猫と一緒にあのお嬢さんがこちらに進んで来るのが見えました。私は、「猫が私の近くに来て欲しくはない。私は猫の隣に座るために、お金を払ってこの席に座ったのではないから。」というような文句を、また言いました。

その女性が私の横を通り過ぎる時に猫は鳴いていましたが、私からは鳴き声が聞こえない後方の席に彼女は座りました。その後も私は友人に不平を七、八分言い続けていました。私は文句を言ったことで、私の傍に猫を寄せ付けずに済んだという思いでいました。ドアが閉められ、飛行機は離陸する間際でした。満席状態の機内で一つだけ空席がありました。それは私のすぐ後ろの席で、隣の席の女性が自分のジャケットを置いていました。すると、キャビンアテンダントが来て、この席に移る人がいるからジャケットを退けて欲しいと言いました。

私は、自分が置かれた状況を知った時、心臓が飛び出るかと思いました。私が後ろを向いて通路を眺めると、例の女性が猫と一緒に前方にやって来るのが見えました。彼女は私のすぐ後ろの座席に案内され、私の席の真下に猫の籠を置きました。猫は、飛行機がワシントンＤ・Ｃ・空港に着くまでずっと鳴いていました。私の不平は、状況の答えの預言になっていたのです。私は、座席でそんな自分を笑いました。

飛行機が着陸し、私たちは入国手続きを済ませ荷物を取り、税関を通ってセキュリティ検査を受けた後、サンフランシスコに向かうためターミナルを移りました。乗り継ぎ便の搭乗口の前で並び後ろを向くと、数人を挟んで猫と一緒にあの女性がいることに気づきました。私は友人の顔を見て言いました。「私は猫が好きです。旅行中の慈愛と恵みを猫に解き放ちます」。

そして振り向くと、女性は「搭乗口を間違えたわ」と言って立ち去りました。私はその後、二度と彼女を見ることはありませんでした。

私たちは現状に不平を言いますが、この話からも分かるように、それは意味のないことです。私たちは、問題に気を奪われない地点に立って生きなければなりません。私たちは真理に目を向け続け、答えと同じ地点に立って生き、答えを生み出さなければなりません。事実は変わります。しかし、真理は常にそこにあります。病気であるという事実があります。しかし、真理は、主イエスという癒し主がおられることです。同様に、お金がないという事実がありますが、真理は主イエスという供給者がおられるということです。

あなたが愛されていないと感じる事実があるかもしれませんが、真理は、あなたは非常に愛されています。事実としては、あなたに気まぐれな家族がいるかもしれませんが、真理は、イエスがあなたのために回復して下さるということです。

事実は変わります。しかし、真理は常にそこにあります。

真理を知ることが、私たちを自由にするということは、よく知られています。真理が存在するから自由になるのではありません。それなら、すべての人が自由になるはずですが、ヨハネ八章三十二節は、「あなたがたは真理を知り、その真理はあなたがたを自由にします。」と言っています。主は真理の霊です。事実の霊ではありませんし、事実について証言する霊でもありません。私たちの目を真理に向け、感謝を捧げる生活を送りましょう。感謝は、御国の恵みを増し加えます。

真理VS論理

信仰によって、私たちは置かれている状況を見ても、なお真理を信じることができます。気をつけなければいけないのは、途中で論理が入って来ることを許してしまい、「そのことがいったいどうやって起こると思うのか」といった問いかけをたやすく聞いてしまうことです。

ルカの福音書一章に、驚くような説話があります。神殿の祭司ザカリヤとその妻エリザベツの話です。彼は最年長の祭司で、二人には子がありませんでした。彼は主の神殿に入って香をたき（賛美の行為）、大勢の民は外で主に心を開きながら祈っていました。そのとき、主の御使いがザカリヤに現れて、驚くような主のメッセージを告げます。御使いが現れた瞬間、ザカリヤはパニック状態になりました。御使いは最初に次のように言いました。**「こわがることはない。ザカリヤ。あなたの願いが聞かれたのです。あなたの妻エリサベツは男の子を産みます。名をヨハネとつけなさい。その子はあなたにとって喜びとなり楽しみとなり、多くの人もその誕生を喜びます。」**（ルカ一・十三～十四）。この子が神によって道を整える者として遣わされ、バプテスマのヨハネとなることは周知の通りで、彼は人々に悔い改めと救い主の到来に準備するように説きました。

「あなたの願いが聞かれた」とありますが、御使いはザカリヤのどんな祈りについて言っているのでしょうか。それは、明らかに、ザカリヤが長年に渡って何度も祈った、妻のエリザベツと彼の間に子どもができることです。

「あなたの願いが聞かれた」と御使いが言った箇所の原語を見ると、「あなたがもう祈らなくなった祈り」という意味が含まれています。ザカリヤはもうこの祈りを止めていて、父親になることを考えなくなっていたと受け取れます。

このことは天国では問題にはなっていないようで、彼の長年の祈りは御国で記録されていました。私たちが心から信じて祈る時、その祈りは立ち上って天国に達し、記録されます。私たちが祈れば祈るほど、その祈りは天国に集まり、積み重なります。私たちは、祈りの答えが見られないと、その祈りは天国に向かう途中か天国の中でどこかに消えてしまったと考えがちです。それらの祈りは神の御前にあり、私たちの祈りとして留められています。

百人隊長のコルネリオに、御使いが告げた次の言葉を思い出してください。「**あなたの祈りと施しは神の前に立ち上って、覚えられています。**」（使徒の働き一〇・4）

祈りが消えて蒸発することはありません。それらの祈りは、ある日、神がその人に特使を遣わす時まで積み重ねられているのです。答えを捜す命の中には、時があります。私たちは、神を固く信じて祈り、その祈りの力が止まらない潮の流れとなって打ち破りを起こす日まで、毎日毎日祈りを重ねることを学ばなければなりません。

ルカの福音書一章一八節でザカリヤは異議を唱え、そのことによって、彼が最近では子どものことを祈らなくなったことが知られてしまいます。彼は御使いに質問して言います。「**私は何によってそれを知ることができましょうか。私ももう年寄りですし、妻も年をとっております**」（ルカ一・18）。これは、論理からくる質問です。論理的な質問（不信仰）と情報がもっと欲しくてする質問は異なります。彼は妻のエリザベツとの間に子供が授かることを諦めてしまっていたので、論理的な観点から質問をしました。

同じルカの福音書一章で、主の御使いがマリヤの前に現われ、彼女に告げます。「**こわがることはない。マリヤ。あなたは神から恵みを受けたのです。ご覧なさい。あなたはみごもって、男の子を産**

みます。名をイエスとつけなさい」（ルカ一・30〜31）。これに対してマリヤは御使いに、**「どうしてそのようなことになりえましょう。私はまだ男の人を知りませんのに。」**（ルカ一・34）と答えていますが、これは単純に情報が欲しくて出た言葉です。御使いは彼女にもっと情報を与え、それを受け取ったマリヤは**「『ほんとうに、私は主のはしためです。どうぞ、あなたのおことばどおりこの身になりますように。』と言い、こうして御使いは彼女から去って行った」**（ルカ一・38）と書いてあります。

一方のザカリヤの話に戻ります。私たちは御使いが次のように答えるだろうと思っていました。「これからあなた方の上に、どんなことが起ころうとしているか正確に話しましょう。神の臨在によってあなた方二人は力を得ます。すべてのことが御心のままに起こり、エリザベツは息子を産みます」。しかし、御使いはそのようなことは言いませんでした。御使いは、これから起こることを主に代わってすでに宣言していました。ですから、それ以上話し合うことはもう何もなかったのです。

神は、御使いを通してエリザベツがヨハネと呼ばれるべき息子を出産し、その子は主に覚えられる偉大な者になることを語りました。ザカリヤの論理に基づく質問は、御使いの強い反応を引き起こしました。

ですから、見なさい。これらのことが起こる日までは、あなたは、おしになって、ものが言えなく

なります。私のことばを信じなかったからです。私のことばは、その時が来れば実現します。」（ルカ一・20）

ザカリヤが神の力に疑問を投げかけたため、彼の口は九ヶ月間閉じられました。神の御言葉を受け取って単に信ずるより、論理が信仰へと導かれる道筋となるようにするためです。

私たちは、論理が信仰に導かれる道筋となる別のケースを見ることができます。

そこでイエスは、またも心のうちに憤りを覚えながら、墓に来られた。墓はほら穴であって、石がそこに立てかけてあった。イエスは言われた。「その石を取りのけなさい。」死んだ人の姉妹マルタは言った。「主よ。もう臭くなっておりましょう。四日になりますから。」（ヨハネ十一・38～39）

論理がマルタを奇跡から遠ざけました。彼女は、答えよりも石の方を大きく見ることを許してしまっていました。

イエスは彼女に言われた。「もしあなたが信じるなら、あなたは神の栄光を見る、とわたしは言ったではありませんか。」（ヨハネ十一・40）

主はご自身の言葉と、内にしっかりと据えられた強い力に信頼しておられたのです。厳しい環境下では、信仰が求められます。決してあきらめてはいけません。自分たちの方法で解決しようとしてはいけません。

私は、明日の答えを今日に引き寄せるのが好きです。そして、私たちにそれが出来ることを全面的に信じています。では、それが起こらなかった時はどうするか。諦めないことです。私たちの仕事は、主は語られた通りの方であることを信じ続けることです。「**できるものなら、と言うのか。信じる者には、どんなことでもできるのです。**」（マルコ九・23）

自分が考えている、あるべき姿に生活の状況がならず、どうしたらいいか分からない時は、論理的に考えることによって解決しようとしてはいけません。奇跡が起こるように道を切り開くことです。信仰の創始者であり完成者であるイエスに目を向けて下さい。信仰の場所に留まり、そこから離れないことです。イエスの目で見続けて下さい。私は、不信仰に生きるよりもむしろ、神を信じる信仰の中で死にたいと願っています。

感覚ＶＳ信頼

数えきれない人から「癒しの祈りをしているとき、私は何も感じないのですが、どこかに間違いがあるのでしょうか？」という質問を受けます。祈りの最中に、神様のみわざを見たり、感じたりするような感覚があることは素晴らしいと思いますが、私はこれまでのミニストリーで十回に満たないほどしか、そうした体験はありません。

通常、私が神と交信する方法は別です。神はご自身が語られた通りの方であり、私はその神の内にあり、神も私の中におられることを確信して生活し、そのことを信頼しきることによって交信します。祈っている人の腕の毛が逆立ち、手が真っ赤になり、神様の働きが直に伝わる様子を耳にした人が、ほとんど泣きそうな顔で、「どうして私にはそのような感覚が来ないのですか？」と聞いてきました。私は、「それは彼らにとって素晴らしいことですが、神が癒そうとされるのを知るために、あなたの腕がそうなる必要はありません。あなたの中に神がおられ、その神が、すべての人を癒そうとされていることに信頼できればそれで十分です。」と答えました。

神の癒しの働きを感じることと、神が癒してくださることへの信頼は、同じことの二つの違った現れです。私は、神が誰かを癒そうとされていることを知るために、部屋の中で御使いを見る必要を感じていません。神はすべての人を癒そうとされており、用いて欲しいと願っている人を通して働くことを確信して生活しています。聖書には、感じることよりも信頼することの方が多く出てきます。しかし、この信頼は、無理に試みて、鳴り物入りで得られるようなものではありません。神への信頼は、私たちに向けて下さる神の御心と、ご性質と本質の理解に、時間をかけて努める中で開発されるものです。

神の働きを担う手

私は、すべての信徒の手に、神の御業が現れることを確信しています。その手は、「神の働きを担う手」です。信じるクリスチャンなのか、あるいは、信じないクリスチャンなのかの違いだけです。「『**そら、ここにある』とか、『あそこにある』とか言えるようなものではありません。いいですか。神の国は、あなたがたのただ中にあるのです。**」（ルカ一七・21）

私は、アメリカで行われたあるカンファランスで話した時、「体のどこかの部分に神経障害を患っている人がいたら立って下さい。」と呼びかけました。その教会の床はバルコニースタイルの二段階になっていましたが、一人の男性が後ろの方で立ち上がりました。私はその人を指さして、「あなたですね」と叫びました。彼はその瞬間、席に崩れ落ち、それから前のめりになってうずくまりました。

私は、奉仕係にその人の席に行ってもらって、何が起こったのか見てもらいました。

数分後、その人は自分の足で立ち上がり、起こったことを叫びながら伝えてくれました。その日は、あまりにも多くの奇跡が起こり、人々が幸せと喜びに満たされて会場が沸きたっていたため、その人と会話が出来るように前に来て欲しいと頼みました。

彼はステージの前に来て、神経障害を患っていた腕と足が、私から呼びかけられた瞬間に、クリスマスツリーの灯りのように点灯したと説明してくれました。彼の体に衝撃が走ったのです。私は彼の目を見詰めながら、彼の手の平に私の手を触れました。その時彼は、十年間感じていなかった感覚があったので、くすくす笑い出しました。彼のつま先にも触れましたが、同じような感覚が訪れたと言いました。その夜彼は家に帰り、翌日、その後の様子を報告してくれました。

彼の神経障害は、重い糖尿病、肝臓病、それに多発性硬化症が原因とのことでしたが、その夜、彼の全身が修復されました。彼は夜寝るとき、長年に渡る足のむくみがなくなり、靴下がするする脱げるのを見て笑いました。翌朝起きると、新しい春の季節が訪れたように感じ、シャワーを浴び、そして、長年のフケさえも消えていることに気づきました。

私は、神の王国は私たちクリスチャンの生活のただ中にあると確信して生きています（ルカ一七・21参照）。ですから、私たちは神の働きを担う手を持っていて、その手をどこに向けるかに関心を払うことが必要です。私が経験したカンファランスでの奇跡は、九九パーセントがそこにいる信徒の手を通して現わされました。私は、癒しや奇跡に召しを覚えて祈る信徒が、病気の人に手を置く姿を見るのが大好きです。

多くのクリスチャンは、神が人々を癒そうとされていることを信じていますが、神が自分たちを通して働くことを望んでおられることには、確信を持っていません。そうした人にとっては、ポケットから手を出して病気の人の上にその手を置くことが、大きな葛藤となります。それは、過去の論理から脱却し、神ご自身との出会いに入る行為です。

最近、友人の教会に行ったときのことです。友人が私に「今夜は、奇跡は二千年前に終わったと信じている教会から、大勢の人が集まっているんだよ。」と言いました。私は「たった一度の神との出会いで、そんな信仰は吹き飛んでしまうよ。」と笑いながら答えました。

やがて、奇跡の時間がやって来ました。その教会員の内の一人で、廻旋鍵盤が裂けてしまった男性が椅子から立ち上がりました。私はその男性の隣の人に、男性の肩に手を置いてくれるように頼みました。その人は、ポケットに手を突っ込んでいましたが、しばらくしてからやっと、不信仰な友人の上に手を置きました。私は、肩に手を置いた人がどんな人かといったことには関係なく、神が癒そうとされていることを知って、興奮しました。

神は、意思を持った器を探しておられたのです。祈りを受けた男性は肩の動きをチェックしました。そして、肩が完全に癒されたことにいい意味のショックを受け、二人が目を丸くしているのが見えました。祈り手も受けても、たったいま起きたことが信じられない様子でした。

私は、癒し主である神が私たちの内におられ、その神の働きを私たちの手が担っているという神への信頼に信徒を導くことを愛してやみません。その時、彼らが神を感じるかどうかに関わらず、彼らが神に信頼するようになるのを見るのが好きです。神は生ける神であり、私たちクリスチャンの命の中に生きておられます。そして、神は外に向かおうとされています。

あなたが神の働きを担う手を持っていると本当に信じる時、あなたは、その手をどこに向けるべきかを二度考えるでしょう。

私は、ある日曜日の夜、ヨーロッパの教会で講演をしていました。私はありったけの思いを込めて、エペソ人への手紙にある「私たちは天のところに座っている」という聖句が、私たちに何を語ろうとしているか話をしていました。

私たちが天国のところに座っているのなら、私たちは天国と地上を繋ぐ導管の役割をしていると言いました。そして、私たちが天国のところに座っているのなら、私たちは御国の豊かさを携えて神とともに、あるいは、神の御心によって祈る機会が与えられていると語り、もし神の力が現れるとしたら、「誰を通して現れるのでしょう！」と続けました。私が「力」と言って部屋の空間を指差したところ、そこには天井の大きな照明があり、バンという力強い音が部屋に鳴り響き、照明が消えました。そして、照明がストロボのフラッシュのように集会場を走り抜ける光景が私の目の前で展開されました。私は、特等席のような最高の場所でその様子を見ていました。

私は何が起こったのかよく分からず、ショックを受けて立っていました。敵が私の講演を壊しにきたのか、それとも、神の偉大な力が現れたのか分かりませんでした。私は、通訳の方を向き、「マイクなしであなたの声が聴衆に届くと思うか」と尋ねました。彼が届くと答えたので、私は「この暗闇の中でこのまま続けることにしましょう。」と言いました。私は話しを再開し、神の力について話しました。そして、私が「力」と言ったとたんに、照明の光とマイクの音が戻って来ました。

その後も話しは続き、その晩は多くの奇跡が見られる素晴らしい晩になりました。翌日、私は隣国にいて、ある教会の庭で講演の準備をしていました。その時メールが入り、前の晩のことについて電力会社が調べたところ、ヒューズもブレーカーも回路も無傷で、説明のつかない状態のままになっていることを知らせてきました。

聖霊は紳士です。しかし、いつもそうであるとは限りません。私は、この出来事によって神への畏れについて新しい啓示を受け、神の働きを担う手を持つクリスチャンについて、神が私に語りかける旅が始まりました。私たちが生ける神の働きを担う手を持っていることを本当に信じた時に、神は私たちにどれほど素晴らしいものを見せて下さるのでしょうか。

第六章　天国を携える

イエスがバプテスマを受けられると、天が開け、御父の声がし、次のように言われました。「これは、わたしの愛する子、わたしはこれを喜ぶ」（マタイ三・17）

原語の聖句のこの箇所では、荒々しく天が裂ける様子が描写されています。多くの人が何週間に渡って、天の扉が開くようにと祈りますが、天の扉はすでに開かれて閉じることがありません。天の扉が閉じていると信じるのは、実りの豊かさを知らないからです。

主イエスが鞭打たれ、十字架に付けられた時点で贖いは完了し、天の扉が開きました。そして、神ご自身が私たちクリスチャンの中に住んでくださっています。奇跡を体験することが不十分なため、私たちは、天は閉じられていて天を奪回する必要があり、神に天が開くように祈るという結論に達します。

天はすでに開いています。私たちはすでに、御国の環境を携えているのです。私は、神に必要のないことまでお願いしているような気がするため、天が開かれるように叫ぶことをしません。私は、開かれた天の領域がさらに拡大することを信じていますし、祈ります。しかし、私たちがキリストの内にあるだけではなく、私たちの内にキリストがおられるという認識を、クリスチャンがより深く知ると、私の考えが分かっていただけると信じています。内に生きておられる方がどんな方かを実際に知る時に初めて、私たちはその方の雰囲気を携え、解き放つことができます。

私たちは、温度調節器、それとも、温度計なのでしょうか。温度を計る人、それとも、温度を設定する人になりますか。奇跡への環境が整っているのに温度を計っているようなことをしていたら、私たちはすでに奇跡を逃がしてしまっています。

私は、癒しの部屋のメンバーに「自分たちのためにではなく、会場に来る病気の人のために雰囲気をつくろう」と言います。奇跡を生む環境を必要とすべきではなく、奇跡が環境をつくるので、もし私たちが奇跡を生む状態になっていなければ、多かれ少なかれ、奇跡を逃したようなものだからです。

私はベテルの超自然的ミニストリー・スクールの授業で、マルコの福音書五章で語られる「長血の女」の話をしました。

ところで、十二年の間長血をわずらっている女がいた。この女は多くの医者からひどいめに会わされて、自分の持ち物をみな使い果たしてしまったが、何のかいもなく、かえって悪くなる一方であった。彼女は、イエスのことを耳にして、群衆の中に紛れ込み、うしろから、イエスの着物にさわった。「お着物にさわることでもできれば、きっと直る。」と考えていたからである。すると、すぐに、血の源がかれて、ひどい痛みが直ったことを、からだに感じた。（マルコ五・25〜29）

イエスは、この女性に「安心して帰りなさい。」と言いました。このフレーズは聖書に度々登場します。使徒の働き一六章三六節の中でも、看守はパウロに「どうぞ、ここを出て、安心して行ってください。」と言いました。これは、文字通りに、別れの挨拶として受け止められます。

ところが、長血の女の「安心して帰りなさい。」という成句は、原語では違う意味になります。英語でいうと、go in peace（安心して帰りなさい）ではなく、go into peace（平安の中に入りなさい）になります。つまり、イエスはこの女性に、家の部屋に入るのと同じようにシャローム（平安・平和）の領域に足を踏み入れるという意味で、「シャロームの中に入って行きなさい。」とおっしゃったのです。この女性は、癒しを受けただけではなく、すべての完全なものを受け取ったのです。マルコ五章二九節では、彼女はすでに癒されたとありますが、実際の意味合いは、「平安の中に入って行き、癒されなさい。」となります。さらに原語では、「平安の中に入って行って、良くなり続けなさい。」またば、「平安の中に入って行って、健康を維持し続けなさい。」となります。

まさにイエスは、ここで神のように全き状態の健康を持つ鍵になることを私たちに語っています。私は、この女性の病気の根っこは平安が欠けていることにある、とイエスが言われたのだと信じています。女性は、答え（イエス）に出会った時に癒され、その次に根本的な問題が扱われました。

私は、問題の雰囲気よりも、私たちが持ち歩く雰囲気にもっと関心を持って生活すること、そして、イエスが「平安の中に入っていきなさい。」と説いて、女性の問題を扱った方法について学生たちに話しました。

この時、自分がイエスの役割を担っていることが分かり、最前列席に座っている男子学生の前に立ち、彼が女性であるかのように話しかけました。私は少し間をおいてから、「きみは問題を抱えてなさそうだな」と言い、あえて女性が座っているところまで歩いて行って、最前列席のある女性の前で講義を再開しました。それは火曜日のことでした。

その週の金曜日に、一八歳になる若い女学生が私に近寄って来て、「すごい証を聞きたいですか？」と言いました。もちろん聞きたいと答えると、彼女は「私のことを覚えていますか？」と尋ねました。私は「ごめん。覚えてないな」と返事しました。彼女は言いました。「火曜日の講義であなたは最前列の男子学生の前に立って、マタイ五章の長血の女について話をしました。覚えていますか？」「よく覚えているよ」と私は言いました。彼女は、「あなたはそれから女性がいる席まで横に歩いて行って、その女性の前で講義を再開しました。その女性は私です。」と話しを続けました。

彼女はあの日に、多嚢胞性卵巣症候群が癒されたことを話してくれました。彼女はこの病気のため、医師から妊娠することは絶対ないと言われていました。私は彼女に、どうして癒されたことが分かったのかを尋ねました。彼女は、私が彼女の前に立った時にそのことがすぐに分かり、翌日のワークショップの時間に胃がけいれんして、それまでなかった生理が始まったと話しました。

私はその彼女の証を、翌週の火曜日の授業で分かち合いました。早発閉経症のためにやはり医師から妊娠することが絶対ないと言われていた別の女性が、証の女性の癒しを祝うことを決心したところ、その瞬間に、四年間もなかった生理が再開しました。

二週間後の日曜日の夜、私はベテル教会のツインビュー・キャンパスで天国の雰囲気を携えることについてスピーチをし、そこで彼女ら二人の証を分かち合いました。終了後、一人の若い女性がやって来て言いました。「私は、あなたの授業で嚢胞性卵巣症候群が癒された女性の隣に座っていました」。彼女は、一年半前に母親を亡くしましたが、その時母親は、彼女の腕の中で息を引き取りました。彼女はお母さんの蘇りを信じてお母さんを抱き続けました。しかし、お母さんの体は機能が停止してゆき、その状態を見ることによって、彼女はトラウマを抱えてしまいました。しかし、一年半の間にトラウマは一つのことを除いて回復しました。その一つが生理です。

彼女は言いました。「あなたがあの若い女性の前に立って長血の女の話をした瞬間に、私の生理は再会しました。それで私はトイレに急いで行きました」。私は、彼女がクラスから出て行ったことを思い出しました。彼女の気に障るようなことを何か言ったのかと思っていました。彼女は数分後、幸せそうな表情をしてクラスに戻ってきました。

証は増え続け、同じ問題を抱えた別の女性が癒されたという報告が、今でも飛び込んで来ています。ある女性はあの授業の時以来、生理はあったものの、これまで毎月十一日間生理が続いたのが四、五日になりました。彼女の生理痛は耐えられないほどひどく、悪夢を見たり吐いたりしていましたが、それも治まりました。

最もドラマチックな証は、生理の時の状態がひどくて自殺すら考えた若い女性の話です。彼女は生理になると毎月、胃の辺りに熱い行火(あんか)を抱いてベッドに横たわっていました。そのことで彼女は第三ステージの火傷になりましたが、生理は十一日間続き、その内の六日間は症状が酷く重かったのでした。彼女もあの授業を聞いていた一人で、あの日以来、生理痛はまったくなくなり、期間も五日になりました。

次の証は、私のお気に入りの一つです。

私がサラダを買いにスーパーに行った時のことです。私は、サラダのパックを手に取って、ラベルを見ていました。私は気がつかないでいましたが、あの授業に出ていた若い女学生が私の近くに立っていて、はにかみながら自己紹介をしました。彼女もサラダを買いに来たそうです。彼女には四か月間生理がなく、医師も原因が分りませんでした。私はサラダを買うのを止めて平棚に戻しました。すると、彼女が前に進み出て、そのサラダを手に取りました。その瞬間、彼女の生理は再開しました。

長血が癒された聖書の女性の話をした授業以来、この本を書いている時点で、報告を受けた証は三十四個になります。私は、その女性たちに祈ったことは一度もありません。私がしたことは、主が私の中におられ、豊かな実りをいつももたらせてくださり、そのことを意識して、天国の環境をいつも携えるようにしていただけでした。

私が信仰を持って私の中に生きておられる主を認識すればするほど、私が「予想外の癒し」と呼んでいる体験が益々増えています。私がある人の前を通り過ぎると、その人が追いかけて来て、「あなたが通り過ぎると、通り過ぎた人たちが癒されることをあなたは知っていますか?」と言いました。私は笑って答えました。「そうですね。そういうことが起きたらいいと思っています。」彼は前立腺がんでひどい痛みがありましたが、私が通り過ぎただけで痛みが即座に引いたと証をしました。

別のケースですが、私は暮らしているレディング市で、ある男の人に挨拶の握手をしました。その人は後で、「あなたが人に触れると、その人が癒されるのを知っていますか?」と言いました。私は、彼に理由を尋ねました。彼は歯茎が腫れて三日間苦しんでいたのに、私と握手をした途端腫れがきれいに消えて、それからはまったく問題がなくなったと説明してくれました。

私は、信仰を持つ人の体が天国の環境をいっぱいに携え、自分でも気がつかないうちに病気が癒され、奇跡が起こる光景をいつも夢みています。私は、信仰を持つ人の体が、自分の内に主がおられることを全面的に信頼し、奇跡が当たり前のように毎日起こる光景を夢見ています。あの授業で最前列席のあの若い女性の前に立った時、私は何かを感じたでしょうか。私は、まったくなにも感じませんでした。私は授業で単に神の御言葉を教えていただけであり、私も学生も奇跡を追い求めていた訳ではありませんでした。

空き時間があると、私は教会外で勉強する機会を持ちます。ある時、州外で開かれた三日間コースの授業に参加しました。先生は私の知らない人で、教室の中を歩きながら、私たちに現在の専門職を含めた自己紹介をするように求めました。私は一緒に参加した友人に、「みなが白けるといけないから自分が牧師とは言わないようにするよ。」と話しました。そして、順番が来ると私は立ち上がって、「私の名前はクリス・ゴアです。ニュージーランド出身ですが、今はカリフォルニア州レディング市に住んでいます。私は、講演会の話し手で、作家です。」と言いました。

自分はいったい誰なのか、どなたが私たちの中に住んでおられるのかを意識すると、その意識したものを携え、解き放つようになります。

クラスの最終日に、終了時間より五分ほど早めに退出しようとして荷物を纏めている私に、「あなたに個人的に話したいことがあるので、少し待って欲しいの。」と先生が言いました。先生は、クラスが終わってからホールに私を連れて行き、私の目を見詰めて話し出しました。

「私はあなたが本当はどんな人で、何をしているのかを知りたんです。」と言いました。「なぜですか？」と訊くと、彼女は「クラスの最初の日にあなたが教室に入って来た時、あなたに何かが備わっていることを感じ、それを好ましく思ったの。それが何なのかを知りたいんです。」と答えました。彼女は、今までそんなことを誰にも感じたことがなく、それが何であるか本当に知りたいと思ったそうです。私は、私がしていることと、私たちの内にある御国の現実を、毎日解き放つ特権に預かっていることを話しました。私は自分が実際に体験した証もしました。

彼女は私を見て、「あなたが普通の人とは違っていると分かっていました。」と言い、「先生が生徒にメールアドレスを聞くのは禁止事項ですが、あなたのことをもっと知りたいので教えてもらえますか？」と続けました。

私たちは本当に多くの答えを携えて生活しています。そのことに気づいていますか？ 多くのクリスチャンは、神がおられるのは私たちのただ中だという現実を認識できずに、どこか別の軌道の上にでもおられるかのように思いながら、神の臨在を探し求めています。

神は聖徒たちに、この奥義が異邦人の間にあってどのように栄光に富んだものであるかを、知らせ

たいと思われたのです。この奥義とは、あなたがたの中におられるキリスト、栄光の望みのことです。（コロサイ一・27）

私たちの体は神の住みかであるという信頼を神にあって確信することが、超自然的な生活の中を歩く鍵となります。私たちが癒しと完全なものを求めて人のために祈る時、神は私たちが願っている以上に、癒しと完全なものを与えようとされています。私たちは、その確信を携え歩いていかなければなりません。私たちは信じる前に見ることに興奮しますが、先に信じるべきです。信じると見えるのです。

マルコの福音書十一章に書かれている、イエスと弟子たちがベタニヤを出て来られた時の説話は大変魅力的です。

主は空腹を覚えられました。葉の茂ったいちじくの木が遠くに見えたので、一行は見に行きましたが、葉のほかは何もないのに気づきました。いちじくのなる季節ではなかったからです。そのとき、主は、その木に向かって言われました。「『**今後、いつまでも、だれもおまえの実を食べることのないように。』弟子たちはこれを聞いていた。**」（マルコ十一・14）。翌朝、一行がそこを通ると、いちじくの木は根元から枯れていました。

ここがポイントとしたい箇所なのですが、ペテロは木を見てショックを受け、「**先生。ご覧なさい。あなたののろわれたいちじくの木が枯れました。**」（マルコ十一・22）と言いました。「**イエスは答えて言われた。『神を信じなさい』**」（マルコ十一・22）。そして、主は、祈って求めるものは何でも、すでに受けたと信じなさいと言われます。（マルコ十一・24参照）

ペテロは枯れた木を見てショックを受けたようですが、イエスは違います。ペテロは実際に枯れた木を見るまでは木が枯れることを信じられませんでしたが、主は見る前から信じていました。イエスは、見たいと思われたことを口にされました。イエスは、ペテロが見る前から枯れた木を見ておられました。

マルコの福音書の記述では、いちじくの木はその場では死ぬことはなく、枯れませんでした。翌朝になって初めて、弟子たちは枯れたことが分かりました。イエスは、御国を歩いておられる確信の中で、呪った時すでに木が死んだ状態になることを信じていました。

ガンを患っている方を祈っても結果がでなかったことを何度も経験し、こうして、祈りの結果が見られないと、私たちは信仰を失いがちです。私はそのことを疑問に思います。祈りは確実に聞かれていいます。いちじくの葉はすぐには落ちませんでしたが、根はイエスが呪われた瞬間に確実に死にました。そして、翌朝までに、葉が落ちて枝が枯れたのです。

祈りが聞かれなかったときの対処法について主は話されていません。祈りは必ず聞かれるという自信と無限の確信の中を歩かれておられたからです。

ガンの癒しを祈る時、この病気の根っこの部分は対処され、ただ、ガンの入れ物（腫瘍）がそれに応えるのに時間が必要というように信じることができますか？　これまで私がガンの方のお祈りをした中で、私はその場で確実に癒されたとは言えないケースを、一度ならず経験しています。すべてのケースにおいて、病気の根っこは対処され、体は時間とともに回復すると信じ切ることを必要としています。祈りを受けた方が後日医師の診断を受け、ガンが消えたことを確認し、回復モードに入ったという例を実際に聞いています。

マルコの福音書十一章の説話とは違って、マタイの福音書二十一章一九節では「**たちまちいちじくの木は枯れた**」と書いてあると言う方もいらっしゃるでしょう。私はいつも、奇跡がその場で直ちにおこることを追い求めています。しかし、すぐには癒しを確認できず、医師の検査によって初めて確認が取れるケースが多くあることも知っています。大事なことは、祈りは必ず芯に届いていますから、一人に祈ってもらうだけで終わりにするのではなく、重ねて何度でも祈りを受けることです。

卵巣嚢腫を患っていたシェリーの驚くような証は、私の意見を擁護してくれます。これは、私のところに来た彼女の手紙です。まったく編集をしていません。

私はちょうど三年前に、卵巣嚢腫に罹りました。症状は重く、二つの卵巣にそれぞれ七，八個の嚢胞ができ、血だらけ状態で腫瘍のように膨らんでいました。それは二センチ×七センチの大きさに達していました。痛みが激しく、腹腔に血液と体液が洩れ出て炎症を起こしていました。医師と相談の結果、いま取れる最善の措置として、卵巣の全摘出手術（子宮も摘出）を受けることになりました。それから、手術前の検査の日が決まりました。

私たちの家族は、ベテル教会から車で九〇分の距離に住んでいますが、私たちはコンスタントに礼拝に参加しています。（現在は、ベテル教会のあるレディング市の住人です）

手術前検査の三週間前、私はベテル教会に行き、礼拝の後、病状に関する祈りを受けるためにステージの前に進みました。癒しのミニストリー・チームの素敵なカップルが祈ってくれました。彼らは私を励まし、何かしらの変化を感じるまで熱心に祈り続けました。痛みは八〇パーセント消え、私はそのことに感謝しました。しかし、お腹は膨れたままでしたので、嚢胞がまだ残っていると感じました。そして、三週間後に手術前のチェックに行ったとき、お腹に超音波を当てて行う画像診断のモニターで嚢胞の様子を確認しながら手術の詳細を話し合うことになりました。私は診察台の上に横になり、医師と看護師の手助けによって超音波診断のモニター画面をはっきり見ることができました。医師は、画面に最初に映った嚢胞のサイズを測りながら、手術の進め方を話し出しました。
突然、私のお腹の内側に光と羽のように軽い感覚が走りました。それと同時に、画像診断のスクリーンが完全にぼやけてしまいました。医師は装置が故障したものと決めつけ、看護師は笑いながら器械のつまみをいじりました。やがて画面が元に戻ると嚢胞は消えていました。医師は執拗に私のお腹にセンサーを押し付け、看護師はつまみを回していました。私はショックで黙ったままスクリーンを見詰めました。私のすべての器官はあるべきところにきちんと映っていましたが、嚢胞は見つかりませんでした。沈黙のうちに、医師と看護師はお腹の検査を繰り返しました。そして、医師は動かしていた手を止め、「あなたの手術は中止します。……あなたに悪い所は何もありません。」と言って部屋から出ていきました。その後も症状は後戻りしていません。そのことを報告できて幸せに思います。

私は、イエスが会堂管理者ヤイロの娘を死から蘇らせるマルコ五章の説話が好きです。私はこの説話について何回も講演で取り上げています。聖句を読んでいただきましょう。

イエスが、まだ話しておられるときに、会堂管理者の家から人がやって来て言った。「あなたのお嬢さんはなくなりました。なぜ、このうえ先生を煩わすことがありましょう。」イエスは、その話のことばをそばで聞いて、会堂管理者に言われた。「恐れないで、ただ信じていなさい。」そして、ペテロとヤコブとヤコブの兄弟ヨハネのほかは、だれも自分といっしょに行くのをお許しにならなかった。彼らはその会堂管理者の家に着いた。イエスは、人々が、取り乱し、大声で泣いたり、わめいたりしているのをご覧になり、中に入って、彼らにこう言われた。「なぜ取り乱して、泣くのですか。子どもは死んだのではない。眠っているのです。」人々はイエスをあざ笑った。しかし、イエスはみんなを外に出し、ただその子どもの父と母、それにご自分の供の者たちだけを伴って、子どものいる所へ入って行かれた。そして、その子どもの手を取って、「タリタ、クミ」と言われた。(訳して言えば、「少女よ。あなたに言う。起きなさい」という意味である。)すると、少女はすぐさま起き上がり、歩き始めた。十二歳にもなっていたからである。彼らはたちまち非常な驚きに包まれた。(マルコ五・35〜42)

私は以前、この説話について、イエスはご自分が携える信仰の環境を保つために、家の中にいる人たちを外に出したのだという見解に立っていつも話しをしていました。しかし、こうしたことも時には必要なのだろうと考える一方で、そんな理由でイエスが人々を外に追い出したとはとても信じられませんでした。

私がミニストリー旅行から家に帰るため飛行機に乗ろうとしていた時のことです。私は、「あなたの教えは間違っている」と主が言われたように感じました。私は、「どこの部分でしょうか?」と尋ねました。主は、「イエスが信仰の環境を守るために泣いている人たちを外に出したところだ。」とおっしゃいました。私がその訳を尋ねると、「あなたは、そのことを自分で調べなければならない。」と主がはっきり言われたように感じました。

パイロットが現れなかったため飛行機の出発が七時間遅れ、私は、これで調べる時間ができたと思いました。そして、私が調べた結果は次のようになります。このことによって、私のメッセージも変わりました。

私が調べたところでは、当時は慣習として、人が亡くなるとプロの「泣き家」を雇っていました。彼等は、死んだ人の家にやって来て、泣き、悲しむのです。果たして彼らは、会堂管理者ヤイロの娘の名前を知っていたのでしょうか。私は、そんな疑問を思い浮かべました。彼等は泣いていたかと思うと、次の瞬間には笑い、そしてイエスを嘲笑しました。

『『なぜ取り乱して、泣くのですか。子どもは死んだのではない。眠っているのです。』人々はイエスをあざ笑った。しかし、イエスはみんなを外に出し、ただその子どもの父と母、それにご自分の供の者たちだけを伴って、子どものいる所へはいって行かれた。」(マルコ五・39～40)

なぜ、イエスはペテロとヤコブとヨハネの他は、中に入ることをお許しにならなかったのでしょうか？　なぜ、嘆き悲しんでいる人を外に追い出したのでしょうか？　主は、信仰の環境を守ろうとされたのでしょうか？

イエスは、家に着く前に哀悼者たちが必要ないことを予め理解し、御父を全面的に信頼し、御国の環境を携えて中に入られたのだと思います。今必要なのは泣くことでなく、喜びでその場を満たすことだとお考えになったのです。主は、葬式にではなく、復活の祭りに行こうとされていたことをご存知だったのです。

あなたは、その場の環境を窺いながら敵に近づくのですか？　もしそうだとして、その環境が好きになれないときは、あなたはすでに奇跡が起こる可能性を逃しています。

イエスは、家に入る時に、その家の温度を計り、奇跡を行うのに適しているかどうかなどとチェックしたりしません。主は、家に向かう過程でご自身の温度を設定してしまいます。イエスは温度計ではなく、サーモスタット（温度調節装置）なのです。主ご自身が天候システムでした。

あなたがある状況の中に入る時は、すべてが可能なのだという意識で望まなければなりません。キリストを死者の中から甦らせた御霊が、あなたがたのうちに住んでおられることを確信して歩いてください（ローマ八・11参照）。あなたがあなたのただ中にある答えに本当に気づく時、問題は意義を失い、色褪せて見えてきます。あなたが主のご性質の素晴らしさに確信を持って満たされると、時には自分では意識しなくても、あなたは御国の環境を携え、周囲に解放せざるを得なくなります。

第七章　主の恵みと私たちの努力

私は、心に憩を感じて行う奉仕活動の重要性を強調していますが、それは決してソファーにどっかり腰かけて、何もしないということではありません。御国における休息は、行動の停止を意味しません。癒しや奇跡に関して、神が特別な方法で自分たちを用いるのを見たいと願う人たちがいます。そして、神の卓越さが彼らに現れ、指を動かすこともしないで、彼らを通して癒しが行われると考えているようです。私は彼らに、「ブレークスルー（打ち破り）を見たいということですが、今まで何人のために祈りましたか」と質問をします。彼らは、色々な言い訳を言い、自分たちの手に奇跡が起こらないことを不思議がります。

イエスが十字架で「完了した」と言われたことを、すべての働きが終わり、もう何もしなくてもよいのだと多くの人が曲解しているようです。私たちの中にある御国は、私たちが何もしないことを求めているのではありません。天の王国が私たちの内に存在しているのは、この世の闇の力を打ち破るために、私たちが内なる力を行使するためです。天国に行くまで、その力を使わない手はありません。

今日、恵みに関する余りに多くのメッセージが神の統治能力に偏りがちで、そのことが怠惰なクリスチャンを創り出しているのではないでしょうか。神の王国を見るためには、イエスが重い荷物を持たれる一方で、私たちも一定の努力することが求められています。聖書の多くの説話の中においても、個人としての努力を怠った人たちは、彼らの内にイエスを見る機会を逃しています。私は、善行や働きについて言っているのではありません。

ルカの福音書一八章一八節は、若い裕福な役人がイエスのみもとに来て尋ねる話しです。彼は言いました。「尊い先生。私は何をしたら、永遠のいのちを自分のものとして受けることができるでしょうか」。この役人は、イエスを律法の先生としてみもとに来ましたので、イエスは律法を用いて答えました。彼はイエスがおっしゃったことに対して、そのようなことはみな守っていると言いました。彼は、彼の個人的な善行や働きを視野に入れて救いを得ようとしてみもとに来ました。彼は主から、持ち物を全部売り払って貧しい人々に分けてやるように言われました。彼はたいへんな金持ちだったので、その言葉を聞いて非常に悲しんだとあります。

宗教の道はこういったものでしょう。いつも、あなたにはもう一つやるべきことが残されているのです。利己的な善行や働きに頼る精神を持っていることが原因して、この裕福な役人はこの日、永遠の命を得る機会を逃しました。彼は、私は何をしなければいけないのかというアプローチの仕方をしました。それは、私たちが椅子に深く座って何も努力をしなくてもいいということではありません。もう一歩の努力が求められているのです。

私は昨年、ルカの福音書一八章一八節のこの若い裕福な役人と、ルカ一九章に登場するザーカイの説話について深く探りました。私の研究生たちに、この二つの説話のまったく異なっている点や比較対象となる事柄を、見つけるという課題を出しました。これは、神の御言葉を学ぶ素晴らしい機会となりました。研究生たちは、異なっている点や比較対象となる事柄を三十個探しました。

ザーカイも裕福な人でしたが、説話の顛末は非常に違ったものになっています。ザーカイは救いを得ました。彼のイエスへのアプローチの方法は裕福な役人とは異なっていました。

彼は、イエスがどんな方か見ようとしたが、背が低かったので、群衆のために見ることができなかった。それで、イエスを見るために、前方に走り出て、いちじく桑の木に登った。ちょうどイエスがそこを通り過ぎようとしておられたからである。（ルカ一九・3～4）

ザーカイは、善行や働きに頼る心を持ってイエスに近づきませんでした。彼にはその日、努力が求められていました。彼は、前方に走り出て、桑の木に登ることが必要でした。マタイ九章の長血の女も、奇跡を受けるためには群衆を通り抜けて、イエスのお着物のふさに触ることが必要でした。

私たちは神の恵みのもとにいるのだから何もする必要がないという考え方は、怠惰なキリスト教を生み出し、そのような人を造りだすだけです。往々にして、クリスチャンの属する陣営には二つの種類があるようです。信仰（私たちの役割）を強調する陣営と、神の恵み（神の役割）を強調する陣営です。

恵みを強調する人たちは、たいてい、すべてのことは神次第で、神はご自分が選んだことは何でもお出来になるし、また、そのようにされると信じています。

このことが行き過ぎてしまうと、すべてのことが神頼みになってしまいます。すべては神が治めておられるのだからと、自分たちの役割すら担うことをしなくなります。もし、あらゆることが神の恵みと主権によるとしたら、神はなぜ私たちを必要とされるのでしょうか。神は救いと癒しを与えたいとお思いになる人を救い、また癒すという考え方でいると、起こることすべてにおいて、神に不満を抱くようになってしまいます。「どうして神に何かを期待する必要があるでしょう。誰かのために祈る必要がどこにあるのでしょう。」とそんな風に思ってしまうのです。その考え方では、病気や死に直面する人に良い知らせを届ける福音は、神の今日の気分次第ということになってしまいます。

反対に、信仰はそれ自体が律法に成り得ますので、信仰を説く人たちの信仰が、人々をある領域の束縛へと導くこともあります。私たちはその足かせをすり抜けて飛び上がろうとして、それで思うような結果が出ない時は、自分たちがうまく飛ぶことができなかったことがその原因だと思い込み、もう一度元に戻って同じことを繰り返しトライするだけなのです。

私は、信仰と恵みを愛していますが、神の力が私たちの生活を通して解き放たれるのを見るためにこそ、この信仰と恵みの二つの存在が必要になります。信仰のない恵みはありません。すべてのことが神の恵みであるという考えの基に、その中で休息し、何も経験しない人たちがいます。一方では、すべては信仰で、恵みは必要ないとする人たちもいます。

闘争的な行動ではなく、休息をベースとした、その両方が必要なのです。信仰は受動的ではなく能動的なものです。信仰は、恵みによってパワーアップします。信仰は、神がすでに与えてくださっている想像を絶する恵みを独り占めにします。信仰は恵みによってもたらされますので、恵みのない信仰はあり得ません。

誤解しないで頂きたいのですが、私たちは、神に物乞いする乞食のようにして、神の御前に出る必要はありません。神は深い恵みによって、あらゆるものを与えて下さっています。私たちがすべきことは、神がすでにして下さっていることに信頼して休息し、その恵みの中で神を見ることです。すると、信仰が私の中に立ち上がり、神の恵みは、私の善行や働きによってではなく、神が私を選んで下さったという一方的な好意であることを理解します。

あなたが神の純粋な恵み、そして、あなたと他の人への愛について啓示を受ける時、神に自分の道を明け渡したくなる気持ちがあなたに強いるようにして訪れます。あなたは、以前のあなたなら決して実行しなかったような、努力したりリスクを負ったりしている自分を見ることでしょう。なぜでしょうか？　それは、愛のある人たちは、より良い働きをするからです。神の愛、恵み、善良性、そして、イエス・キリストというお方の恵みと悟りについて啓示が大きくなればなるほど、御国をこの地上にもたらすための努力をもっと重ねたくなります。

私は、神の愛、恵み、善良性、優しさ、柔和、親切さに圧倒されるとき、神が私たちを愛してくださっていることを伝えたくてどうしようもなくなります。私は、イエスが十字架で最期に言われた「完了した」という御言葉の故に、ソファーにどっかり腰かけて何もしないでいるようなことはできません(ヨハネ一九・30参照)。私たちは神に愛され、神を愛し、そして、私たちの周りの人たちを愛するために生まれてきました。私たちは、主が十字架上で支払われた代価の報いを充分にお受けになるのを見るために、国、地域、街、職場、家族を変革する人として、この世に生を受けたのです。

第八章　感謝から得る力

感謝は、御国では本当に大切な鍵となります。私は、見聞きするどんなことにも感謝することをいつも心掛けています。祈り手の時も祈ってもらう時も、感謝の心は御国を私に近づけてくれます。癒しのミニストリーで私にとって大きなチャレンジとなったのは、まだ起きてないことにではなく、それがどんなに些細なことであっても、起こったことに焦点を合わせるように人々を導くことでした。

人は、感謝の気持ちを持たない傾向にあるようです。例えば、五十肩の痛みを抱えた方が祈りを受けに来たときのことです。肩のこわばりが激しく、腕が脚についたまま離せませんでした。最初の祈りのあとでチェックすると、腕が脚から六センチほど離れて上がりましたが、その人の返事は「まだしっかり上がっていない」というものでした。二回目の祈りでは肩まで上がりました。それでも、驚くことに、彼は「まだ頭の上まで上がっていない」と言いました。

人はこのように、起こったことに注目しないで、起こらなかったこと、できなかったことに焦点を合わせる傾向があるのです。私はそのような人に対して、「起こらなかったことにではなく起こったことに焦点を当てて、そのことに感謝し、その感謝をしっかり持ってもう一度お祈りしましょう。」と言います。そうすると、たいていは癒しが見られ、その人たちはその後も生活の中に奇跡を体験するようになります。

私は数年前、十五歳前後の少女のために祈りました。彼女は、事故で顎を損傷し、再建手術を受けました。ところが、手術中に医師が誤って舌神経を傷つけてしまいました。舌神経は、舌の感覚をコントロールする神経です。彼女は、話すことが出来なくなり、専門セラピーを受けました。その後、彼女は機能を回復させるために手術を二回受けましたが、舌の機能は戻らず、却って味覚障害と特定の食べ物に対する過剰反応を起こすようになりました。彼女は、食べ物の味が分からなくなり、それぱかりか、例えばイチゴを口に入れると、頭に激しい痛みが走りました。

彼女は癒しを求めてやって来ました。彼女の顎に手が置かれ、彼女は祈りを受けました。最初の祈りでは、まったく変化がありませんでした。二回目もなにも起こりませんでした。彼女は三回目の祈りを受け、何か変化があったかと尋ねられると、喉の辺りに痺れる感覚が僅かあったと答えました。そのような感覚は前にはなかったそうです。私は、感謝が大切であることを彼女に説明し、起こったことに感謝しながら、喉への新たな感覚に意識を集中するように言いました。

彼女は教会から車で三十分の所に住んでいました。彼女は母親の運転で帰宅する途中、感謝の言葉を口にしていたら舌の機能が完全に回復して、喜びの声を挙げました。翌朝、彼女は八年振りに舌の感覚が戻り食べ物の味が分かるようになったという、嬉しい報告を私たちに届けに来てくれました。その一年後、彼女の母親に会いましたが、彼女の舌の機能は今でもまったく問題なく、食べ物を味わえる生活を楽しんで送っているそうです。

十字架への感謝

私は癒しの祈りをするとき、熱い感覚、冷たい感覚、ちょっとした改善といった、祈りを受ける人の体の僅かな変化に注目します。変化を感じたら、祈りを中断するよう私に言って欲しいと頼みます。そのときから、私は感謝を捧げる体制に変更します。御国は、感謝されたことを増やしてくれるからです。実際、奇跡はどの時点で起こるのでしょうか？　熱さが現れたときでしょうか？　以前できなかった動きができるようになったときでしょうか？　それとも、主イエスが十字架で私たちの病気や弱さを取り去ってくださったときでしょうか？　私たちはいつも新たな気持ちで、まさに、いまここで代価が支払われたような感覚で、十字架に感謝を捧げるべきではないでしょうか。

感謝を捧げる心は私たちの生活に必須です。人はなぜ、祈ってもブレークスルーが起きないのかと不思議がります。私たちは、いますでにしていただいていることをよく見て、そのことに感謝する生活を培うことを学ばなければなりません。小さな奇跡を秤で量り、もっともっとと、大きな奇跡ばかりに目を注ぐ人がいます。頭痛が癒されたことには感謝せず、失った足にだけ注目する人たちが多くいます。

私たちは、その日の始まりに見る小さなことをないがしろにしてはいけません（ゼカリア四・10参照）。

主がしてくださった小さなことに感謝する生活が、大きな奇跡を招く生活を導きます。
私は、昔よく歌った「Give Thanks」（感謝を捧げよう）というこの歌が大好きです。

感謝をささげよう、心をこめて
感謝をささげよう、聖なる方に
感謝をささげよう、神は御子イエス・キリストを下さったから
いま、弱い者が言う。「わたしは強いぞ！」
そして、貧しい者が言う。「わたしは豊かだ！」
主が私たちのためにしてくださったことの故に

私はカンファランスで金銭的な打開を例に取りながら、感謝することの力を話していました。私は、「例えば、私の前にいる人が五万ドルを必要としているとします。」と言って、前の方に座っていた男性の手に一セント硬貨を置きました。私は「あなたには選択する権利があります。一セントでは私が必要としている五万ドルの何の足しにもなりませんと言って断りますか、それとも、この一セントを打開の一歩として感謝して受け取りますか？」と訊きました。彼は、「イエスさま、この一セントに

感謝します。有難うございます。」と答えました。

それから、私は彼に一ドル札を手渡しました。それでも五万ドルには程遠いのですが、彼は感謝して受け取りました。私は、彼の個人的な事柄は知りませんでしたが、このことによって話しの内容を具体的に示そうとしたのです。

彼はその後、昼の休憩時間に、両親の家にランチを食べに行きました。そして、戻って来た彼は、目を大きく開け、顔に満面の笑みを浮かべていました。

彼は、最近結婚したばかりで五万ドルの必要がありました。彼がランチを食べに両親の家に行くと、両親は家を売りに出していましたが、何年も買い手が現れていないことを彼に話しました。両親は家が売れたら分け前をおまえにあげると言い、その額は、ちょうど五万ドルでした。国の経済が良くなかったので、長い間、家を見に来る人は一人もいませんでした。

ところが、ランチの間に、キャッシュを持った買い手を連れて不動産屋が現れ、契約書にサインしたのです。私はこれを、偶然の出来事とは思っていません。感謝を捧げる生活には偉大な力が宿ります。

多くの人は、感謝を捧げるようなことはなにもないと考えています。神はその一人子イエスを私たちにお与えになりました。大きく息を吸ってみて下さい。息を吸えることも感謝なのではありませんか？　感謝を捧げると、あなたの生活のすべてに打ち破りを経験します。

第九章　謙虚さに宿る力

謙虚な姿勢は、すべてが神の恵みであることを学ぶ最も強力な学びです。一見、信仰が運んできてくれたかのように見える最高の一日であっても、すべては神の恵みによるものです。

謙虚とは、自分についての考察を深め、自分を小さく思うことである。　C・S・ルイス

私たちが父なる神の権威を携えていることを理解し、その力の中を歩くためには、主イエスが私たちの中に住んでおられ、主イエスと共にあるという、私たちの一体性を知ることが必須です。私たちは御父の子どもです。そのことが御父の恵みであるという真理から外れて、御父から授かった権威を貪る孤児のように振る舞うことに、私は懸念を感じています。私たちは、自分は癒しを受けるに値し、また、自分を通じて他の人に癒しが行われるに値する存在であると考え、資格を得ているのだという、謙虚さを忘れた行動をたやすく取ります。

恵みは、神の無条件の好意です。恵みによること以外に、私たちには何の価値もありません。そのことを、マタイ一五章二十一～二八節に見られる、力強い聖書の説話から説明します。

その前に、この説話の歴史的背景をつけ加えなければなりません。新約聖書には、主イエスは「ダビデの子」であるという記述が十七回出てきます。ダビデは、イエスが人としてこの世に来られる千

年も前に生きていた人です。ですから、イエスがダビデの子になれる訳がないと言う人もいると思います。答えは、第二サムエル記七章一四〜一六節の、救い主イエスはダビデの世継ぎの子であるという預言の成就です。

イエスは約束された救い主であり、そのことは、ダビデの世継ぎの子であることを意味します。マタイの福音書には、人としてのイエスはアブラハムとダビデの子孫であり、父親のヨハネを通してお生まれになったことが系図で証明されています。ルカの福音書では、母マリヤの系譜から、ダビデの子孫であるヨセフの養子として、また、マリヤを通した血によって誕生されたことが記されています。ですから、イエスをダビデの子と呼ぶのは、旧約聖書で預言された救い主としての称号のことを言っています。

主は、そのしもべダビデに免じて、ユダを滅ぼすことを望まれなかった。主はダビデとその子孫にいつまでもともしびを与えようと、彼に約束されたからである。（第二列王記八・19）

このことから、ダビデの子孫は、永遠に王座に着いて治めることが約束されていることが分かります。イエスは地上にいる間、「ダビデの子」と呼ばれました。イエスはダビデの町、ベツレヘムでお生まれになりました。新約聖書にはイエスは「ダビデの子」であるという引用が十七回ありますし、マタイの福音書では、「ダビデの子」という称号が様々な人によって六回使われています。これは、救世主としての称号でした。また、ユダヤ人がイエスについて語る時に使うことができた称号でした。

マタイ一五章二十一～二八節に戻ります。私はこの説話を何回も読んでいます。しかし聖句は、時にはまったく初めて読むような気持ちで読み、文脈や意味について時間をかけて研究しなければならない場合があります。

この説話では、カナン人の女性が出て来て叫び声をあげて言いました。「**主よ。ダビデの子よ。私をあわれんでください。娘がひどく悪霊に取りつかれているのです**」（マタイ一五・21）。彼女はユダヤ人ではなくツロとシドンの地域から来たカナン人の女性でした。彼女は異邦人であったのに、あたかもユダヤ人のようにしてイエスに近づき、主を「ダビデの子」と呼びました。

二十三節には、「イエスは彼女に一言もお答えにならなかった。」と書いてあります。私はこの聖句について、文脈や背景が分かるまで意味するところが分かりませんでした。なぜ、イエスは何もお答えにならなかったのか？　彼女はひどく厚かましい態度でイエスに近づいたのだろうか？　彼女はイエスに印象づけて気を引こうとしたのだろうか？

彼女はユダヤの地に住む異邦人でした。その彼女が群衆を通り抜けて弟子たちをかいくぐって進み、異邦人には相応しくない、ユダヤ人が使う呼び名でイエスに叫びました。彼女は、ユダヤ人の娘は癒される資格があるという思いから、あたかもユダヤ人であるかのように見せかけてイエスに近づいたのだろうか？　こんな疑問が私の頭に浮びました。話しは続きます。

そこで、弟子たちはみもとに来て、「あの女を帰してやってください。叫びながらあとについて来るのです。」と言ってイエスに願った。しかし、イエスは答えて、「わたしは、イスラエルの家の滅びた羊以外のところには遣わされていません。」と言われた。（マタイ一五・23〜24）

イエスが、「私はユダヤ人のところにだけに遣わされた。」と言われたことから判断すると、彼女がユダヤ人ではなく異邦人であると、主は分かっておられました。ここで、私たちは、この異邦人の女性の心が変化したことを読み取ることができます。自分には必要なものを得る資格があるとして、遠慮なく権利を主張するといった考えから、大きく変化していきます。彼女は主のみもとに来て、主を礼拝し、「**主よ。私をお助けください。**」（マタイ一五・25）と言いました。

ここで、彼女はもう一つのテストを受けますが、これは私たちすべてにとって、恵みと信仰についての素晴しい教訓になります。**イエスは答えて、「子どもたちのパンを取り上げて、小犬に投げて**

やるのはよくないことです。」と言われた。（マタイ一五・26）

犬は、ユダヤ人が異邦人を指していう当時の蔑称でしたが、異邦人は現在でも、ユダヤ人から様々な領域で聖くない民だと見下されているところがあります。しかし、イエスは彼女のことを犬とは言わず、子犬と呼びました。イエスは彼女の態度について指摘をしたものの、限りなく愛情が込められた表現である子犬と呼んで、その非難を和らげました。彼女は、非常に謙遜な態度で信仰に満ちた答えをイエスに返し、そのことが彼女に勝利をもたらしました。

しかし、女は言った。「主よ。そのとおりです。ただ、小犬でも主人の食卓から落ちるパンくずはいただきます。」そのとき、イエスは彼女に答えて言われた。「ああ、あなたの信仰はりっぱです。その願いどおりになるように。」すると、彼女の娘はその時から直った。（マタイ一五・27～28）

私たちは、自分には恵みや癒しを受ける資格が当然あるといった態度で、主のみもとを訪れることはできません。イエスは、恵みに値しないことを本当に理解できる地点に彼女を立たせるために、「子どもたちのパンを取り上げて、小犬に投げてやるのはよくないことです」とおっしゃいました。そして、彼女は、「ただ、小犬でも主人の食卓から落ちるパンくずはいただきます」と言いました。

もはや彼女は、私には資格があるといった不遜な態度でみもとに来ようとはしていません。自分本位の価値観や働きを主張してみもとに来ることは、もうありません。彼女は、このことが身に余る恵みであることを自覚してイエスのみもとにやって来ます。彼女は、自分を過大評価することなく、また、自分本位の利益や働きではない地点から主の偉大さと恵みを見ています。すると、イエスは叫びに答えて彼女の娘を癒し、彼女の厚い信仰を認めました。

癒しは、「子どもたちのパン」です。私たちは、主が支払ってくださった代価に値するものすべてを手にすることができます。私たちは、十字架で完了された働きによって贖ってくださったすべてのものやパンを、御父の子として得る資格があります（第一ヨハネ三・2参照）。私たちは、資格をことさら主張し、自分本位の権利意識や憶測を持ってやって来る孤児のように振る舞うべきではありません。

私たちは神の子どもとして、代価がすべて支払われているご馳走に預かれます。そのことで私たちは謙遜を培い、見せかけの自分ではなく、そのままの姿で神の御前に進み、神の御国にあるすべてを手にすることができます。

私たちは、神が何か特別に私たちを癒そうとされるのを待つ必要はありません。神は、癒しは「子どものパン」であるという啓示を、私たちが受け取るのをずっと待っておられます。食卓はすでにセットされ、食べ物も用意されています。そのままのあなたで席に着いて下さい。すべての支払いは済ませて下さっています。

自分には癒しを受ける資格がない、と思い込んでいる人が多くいます。例えば、喫煙の習慣が原因で肺がんになったり、体調管理を怠ったのが元となって糖尿病を患っているような場合です。彼らは、現在の病気や状況を招いたのは恐らくは自分のせいではないかと捉え、自分には癒される資格がないと思い込んでやって来ます。そんな時、私たちは自分本位の特権を求めたり、不遜な態度で来るでしょうか？

確かに私たちは、それぞれの生活の中で愚かなことをしてきました。しかし、繰り返しますが、恵みの力の大きさは計り知れません。イエスは、今のあなたのままで、あなたがみもとにやって来ることをお望みです。私たちは、すべてをきよめて主の御前に出る必要はありません。権利をことさら主張することなく、謙遜であることを忘れなければいいのです。そのことが、主の力が私たちの中に、そして、私たちを通して流れ出す土台になります。

神の恵みへの感謝は、健康的な謙虚さを表わす最も大きなサインのひとつです

…神は高ぶる者に敵対し、へりくだる者に恵みを与えられるからです。ですから、あなたがたは、神の力強い御手の下にへりくだりなさい。神が、ちょうど良い時に、あなたがたを高くしてくださるためです。（第一ペテロ五・5～6）

この異邦人の女性の説話は、信仰と恵みに関する素晴しい話です。私がディレクターをしている癒しのミニストリーにも、それが権利でもあるかのように、癒されて当然というような顔をして来る人がいます。

確かに信徒には、その恩恵に預かる特権がありますが、だからと言って、イエスの贖いによってその資格を与えていただいているという恵みを忘れて主の御前に行くのは、あまりにも自分本位の考えとは言えないでしょうか。こうして自分たちの価値だけを主張すると、主イエスの死は無駄になってしまいます。

人々は信仰を携えてやって来きますが、その信仰も神の恵みの力によるものです。そのことが福音に力を与えます。私たちの誰もが癒しを受けるに値しません。私たちには、自分には資格があるといった考えを捨て、自分を偽らないあるがままの姿で、私たちの想像を遥かに超えた主の恵みを認めることが欠かせません。神の栄光と素晴らしさと善良性を見て神のみもとに来るとき、私たちは必要とするすべてのものを得ることができます。「**小さな群れよ。恐れることはない。あなたがたの父は、喜んであなたがたに御国をお与えになるからです。**」（ルカ十二・32）

私は最近、長女のソフィアと一緒に飛行機に乗って、海外にミニストリーの旅に出るという嬉しい体験をしました。私は、マイレージが溜まっていたため、搭乗する飛行機会社のラウンジを利用することができました。ラウンジの中に入る時、スキャナーに搭乗券をかざして緑のランプが点くと通過でき、赤が点くと通れません。

ラウンジには、私のすぐ後にソフィアが着いて入ろうとしました。私が搭乗券をかざすとグリーンのランプが点きましたが、ソフィアはマイレージ・プランに加入していなかったため、彼女には赤いランプが点灯しました。ラウンジの係員は、彼女の赤いランプを見ることすらしませんでした。係員は私が持っていた権利に基づいて、彼女もラウンジを利用できると、当然のように思っていたからです。

ソフィアは、父親の私が一緒にいたことで、戸惑うことなく自信を持ってラウンジの中に入ることができました。彼女は、私と一緒に何の制限もなく、ビュッフェスタイルの食べ物を楽しみました。彼女は、私が持っている特権を余すところなく利用しましたが、それは私が一緒にいることで初めてできることでした。

私は、この体験を思いめぐらせている時、恵みについての新鮮な理解に圧倒されました。もしソフィアが私と一緒でなく、一人で現れて「私が誰だか分からないの？」と言ったとしたら、警備員にたちどころに追い返されていたことでしょう。

同様に、私たちは不遜で傲慢な心でいてはいけません。その代り、私たちに権利があるからではなく、父なる神が一方的に与えて下さった恵みであることを認識し、謙遜の霊をもって神に近づく時、私たちは御国にあるすべてのものを手にすることができるのです。

ソフィアがそうであったように、私たちも、御国に預かるために物乞いをするような態度を取る必要はありません。イエスの十字架の贖いを通した御父の恵みによって、御国を手にできることを知る時、私たちはそのままの姿で御前に近づくことができます。私たちが恐れることなく自分の場所に着くとき、神が私たちの中に、神ご自分の場所をお取りになります。神がお住まいになるその場所を空っぽにするとき、神の豊かさがそこに流れて来ます。「私は癒しを受けるに値しません。神に用いられるに値しません」といった、偽りの謙虚さについて言っているのではありません。

そういう人には、拡大してくる御国を受け取ることができません。自分には癒される資格がなく、神は私を癒そうとされず、用いることもなさらないという、敵の嘘を信じている人が大勢います。私は、自分は癒されるには値しないだろうと感じている人たちをたくさん見てきました。そのような心の状態こそ癒されるべきです。それは、敵の嘘だからです。

私たちは神の最高傑作であって、自分たちの資格自体は癒されるに値しないかもしれませんが、神の恵みの力によって癒しを受けることができます。教会でよく言われる、私たちには価値がないという思いは追い出さなければなりません。そのような考えでは、イエスの贖いが完全に報われることがありません。ヤコブの手紙四章六節には、「**神は、高ぶる者を退け、へりくだる者に恵みをお授けになる。**」と記されています。

私はイエスの御名を賛美し、高めるためにこの地にいます。奇蹟を起こすのは私の力や信仰ではなく神の力ですが、私はその一部を担えることに喜びを感じ、すべての栄光を常に神に帰しながら感謝して生活しています。いつも神に栄光を帰したいと願っています。


「**心の貧しい者は幸いです。天の御国はその人たちのものだからです。**」（マタイ五・3）

私は何者なのかという自己認識の基盤は、神にあっての私であり、その神が私の中におられることを知っていることです。このことの理解と啓示をもっともっと得るために、私は自分をプッシュし続けます。

私たちは神の子であり、その権威をもとに行動し、また、神が私たちのために用意されたものはすべて私たちのものだということを認識してもよいと、私は信じています。しかし、それは利己的な義を求めたり、孤児のように貪ることによって得られるものではなく、すべてを捧げることからもたらされます。私は、このすべてを神に譲る行為を通して、御国の豊さが私を通して、さらに流れるのを目にするようになりました。それは、恵みと信仰が共にある姿であり、どちらか一方があればよいというのではありません。

私は、神が私を用いて下さって、何千という奇跡を毎年目にし、苦痛を抱えた人が私の内にある神の王国の力で自由になるのを見ることに、大変な喜びを感じています。その特権を決して軽視せず、特権をかざして王の杖を使う、傲慢で、甘やかされた王子のように振る舞うことを拒否します。そうではなく、神の恵みの中で、すべてを捧げて神の御前に出る時、御国の完全さを得ることができます。

光栄なことに、私は神の力の技を私の生活の中に見ることができます。私は、神の力によらなくては何もできないことを信じ理解しているので、喜びの体験である一つひとつの奇跡に対して謙遜であり続けます。

第十章　思い出すことから得る力

私は、ワシントン州のシアトルからアラスカまで、クルーズ船で家族とともに過ごしたバケーションから帰って来たばかりでした。その旅行には、有名なトレーシー・アーム氷河を見学する行程も含まれていました。

アラスカのある港に立ち寄った時は、グリズリー（灰色グマ）を見ることを期待して、バスツアーに参加しました。バスの運転手にグリズリーを見るチャンスがあるかどうか尋ねたところ、「それは誰にも分らないよ。ある時は見ることができ、ある時はできないのさ。」という答えが返ってきました。このことは、神との問題であることが分かっていたので、私はできる限りの期待感を抱いて出かけました。

バスが素晴らしい眺めの川沿いに止められ、私たち一行がバスを下りて景色を楽しんでいると、次の曲がり角にグリズリーがいるとの報せが運転手に入りました。運転手は私たちをバスに乗るように促し、みんなが乗ると、クマを驚かせないようにできるだけ音を立てないで静かにしているようにと注意し、バスは出発しました。

私の娘の一人は、人のことをまったく気に掛けないで、自分の好きな時に大きな声を発する癖がありました。私は、その子のせいでツアーが台無しになってしまうことを考え始めていました。バスは曲がり角にやって来ました。周りに誰もいないかのように、グリズリーが野原で草を食べている絶妙な光景が、バスにいる私たちの目の前で展開しました。

バスの窓は前も後ろもとても大きなものでした。運転手はバスの位置を変え、後ろの窓から二メートルもないほどの至近距離でクマを見られるようにしてくれました。本当に素晴らしい光景でした。運転手は、静かにしているようにと小声で囁き、もう一度私たちに注意を促してくれました。みんながクマの見える場所に移って写真を撮り始めた時、私の娘が叫び声を挙げました。

クマは私たちの方を向いて、見詰め、また草の方に向き直って草を食べ始めました。私は救われました。しかし、彼女は再び叫びました。前よりもっと大きな声でした。私は、バスのツアー客が私たちをクマのいるところに放り出す準備をしているように感じました。クマはまた私たちの方を見て向き直り、バスに近づいて来て、後ろ足で直立になって立ち上がりました。それはもう、最高の光景でした。カメラのクリック音が鳴り続きました。私も三台のカメラで目の前にいるグリズリーを捉え、素晴らしい写真を撮ることができました。ツアーの人たちから娘のことで感謝されました。

私は、レーシー・アーム氷河でも、絶景を船からビデオにおさめることができました。キャプテンの話では、キャプテンとして船に乗って以来二六年間で、こんなに船を氷河に接近できたのは初めてのことだそうです。

旅行から帰って、私は自宅のプールの中で座っていました。夏の暑い日のことです。私はバケーションで過ごした日々を思い出しながら、なぜ私たちは旅行に行くと写真やビデオを撮るのだろうかと考え始めました。

私は写真やビデオにおさめた記録について考えました。ビデオや写真を撮る目的は、過去の素晴しい出来事や幸せな思い出を振り返って、思い出すことができるようにするためです。私が持っている写真はすべて、それらのことを思い出せるようにするためのものです。私が持っているビデオや写真で、私が思い出したくないものは一つもありません。

癒しのミニストリーで大切な鍵となるのは、いかに自分を励まし続けられるかということです。多くの人がよく私に「あなたは奇跡をたくさん体験しているので、自分を励ますのは簡単でしょう。」と言います。私は、毎年何千もの奇跡を見る一方で、打ち破りが見られなかったり、身近な人に癒しが起こらなかったこともたびたび経験しているので、簡単に落胆してしまうこともあります。そんなときは、起こらなかったことにではなく、神のしてくださったこと、また、現在して下さっていることにフォーカスするように自分に言い聞かせます。

イスラエルの民は、神の御業によってエジプトでの捕われの身から解放されましたが、彼らは忘れました。主は紅海を巻物のように巻き上げ、彼らは乾いた土の上を通り抜けました。しかし、彼らはそのことをも忘れました。主は、マナで彼らを養い、岩から水を与え、彼らの成長に合わせて大きくなるクツと決して擦り切れない着物を備えて下さいましたが、彼らは忘れました。彼らは、そうした不信仰のために荒野で滅ぼされました。彼らは、神がして下さったことを思い出すことができず、また、神が彼らのためにされようとしていることを信じることができませんでした。彼らの子どもたちである第二世代がヨルダン川に来た時、神はご自身がされたことを忘れないように彼らにお悟しになりました。

イスラエルの民がヨルダン川をついに渡り終えたとき、主がヨシュアに告げます。

彼らに命じて言え。『ヨルダン川の真ん中で、祭司たちの足が堅く立ったその所から十二の石を取り、それを持って来て、あなたがたが今夜泊まる宿営地にそれを据えよ。』」そこで、ヨシュアはイスラエルの人々の中から、部族ごとにひとりずつ、あらかじめ用意しておいた十二人の者を召し出した。ヨシュアは彼らに言った。「ヨルダン川の真ん中の、あなたがたの神、主の箱の前に渡って行って、イスラエルの子らの部族の数に合うように、各自、石一つずつを背負って来なさい。それがあなたがたの間で、しるしとなるためである。後になって、あなたがたの子どもたちが、『これらの石はあなたがたにとってどういうものなのですか』と聞いたなら、あなたがたは彼らに言わなければならない。『ヨルダン川の水は、主の契約の箱の前でせきとめられた。箱がヨルダン川を渡るとき、ヨルダン川の水がせきとめられた。これらの石は永久にイスラエル人の記念なのだ。』」（ヨシュア四・3～7）

ヨシュアは、石をおいた理由を民に語りました。

「あなたがたの神、主は、あなたがたが渡ってしまうまで、あなたがたの前からヨルダン川の水をからしてくださった。ちょうど、あなたがたの神、主が葦の海になさったのと同じである。それを、私たちが渡り終わってしまうまで、私たちの前から枯らしてくださったのである。それは、地のすべての民が、主の御手の強いことを知り、あなたがたがいつも、あなたがたの神、主を恐れるためである。」（ヨシュア四・23～24）

私たちは、神の誠実さを簡単に忘れてしまいます。第二テモテの中で、パウロはテモテに次のように語っています。「私はあなたの純粋な信仰を思い起こしています。そのような信仰は、最初あなたの祖母ロイスと、あなたの母ユニケのうちに宿ったものですが、それがあなたのうちにも宿ってい

ることを、私は確信しています。」（第二テモテ一・5）

テモテの家族は、神の誠実さを相続財産として受け継ぎました。テモテの祖母は主に信頼し、主は彼女を見捨てず、彼女を失望させませんでした。母親も主に信頼し、彼女も主に見捨てられることがなく、失望することがありませんでした。テモテがストレスを抱えて困難なことに取り組んでいた時、パウロはその機会を捉えて、主がテモテの祖母と母を見捨てたことはなく、テモテのこともお見捨てになるはずがないことを彼に思い起こさせました。

パウロは、第二テモテ一章六節の中でテモテに言います。「**それですから、私はあなたに注意したいのです（思い出させたいのです）。私の按手をもってあなたのうちに与えられた神の賜物を、再び燃え立たせてください**」（第二テモテ一・6）。「思い出させる（英語 remembrance）」というフレーズは、ギリシャ語の複合語 anaminesko に該当し、ana は「あることを再び繰り返す」、minesko は「記憶のように何かを思い出す」という意味です。この二つの単語が合わさると、「再び集める」、あるいは、「記憶を再び思い出す」となります。ana という短い単語は、主が癒し、解放し、救ってくださったこれまでのことを思い起こさせ、その記憶を何度も何度も再生するイメージを運んでくれます。

ヨシュアがそうであったように、私たちも神がして下さったことを決して忘れてはいけません。

神はあなたにどのようなことを、どのようにして下さいましたか？　あなたもそのことを時々思い起こして、忘れないようにして下さい。

・神はあなたを癒してくださいました。
・神はあなたを捕われていたことから解放して下さいました。
・神はあなたを救って下さいました。
・神はあなたを導き、道を確かなものにして下さいました。
・神はあなたを困難な道から引き出して下さいました。
・神はあなたの経済が困難の中にあった時、必要を備えて下さいました。
・神は敵の罠からあなたを守って下さいました。

神が過去に見せて下さった奇跡と誠実さを思い起こすことには、想像を超えた力が宿ります。ベテル教会には、素晴らしい二四時間の祈りのチャペルがあります。私はそこに行くのが大好きで、小さな聖餐式用キットを持って聖餐式をするのを楽しみにしています。キットの上には、ルカの福音書の次の聖句が刻印されています。

「それから、パンを取り、感謝をささげてから、裂いて、弟子たちに与えて言われた。『これは、あなたがたのために与える、わたしのからだです。わたしを覚えてこれを行いなさい』（ルカ二十二・19）。

私はカップとパンを手に取ってこの聖句に意識を集中し、すべてのことは自分ではなくイエスがして下さっていることを、私自身に思い起こさせるようにします。イエスが支払って下さった代価と、その代価は余すところなく支払われていることを思い起こします。そのすべてが神の恵みです。その日が私にとって最高の日であれば、それが主の恵みによるものであるという、主への信頼を全身に感じます。

神が過去に見せて下さった奇跡と誠実さを思い出すことから得る力は、大変大きいのです。聖書には、実際に「思い出す」という言葉が六四回出てきます。マタイの福音書一六章とマルコの福音書八章には、弟子たちがイエスと一緒に船で向こう岸に行かれた時の説話が出てきます。マルコ八章一七節では、パンを持ってくるのを忘れた弟子たちにイエスは、「**なぜ、パンがないといって議論しているのですか。まだわからないのですか、悟らないのですか。**」と言われました。弟子たちは、ほんの少し前に主がされた、少しの魚と七つのパンをもとに、四千人の群衆のお腹を満たした奇跡を忘れてしまい、弁当を忘れたのでお腹が空いたと不平を言っていたからです。

弟子たちは、ほとんど無いに等しいものから四千人分の食べ物が造り出されたのを目の当たりにしながら、お昼の軽食すら造り出すことができませんでした。イエスは、「**目がありながら見えないの**

ですか。耳がありながら聞こえないのですか。あなたがたは、覚えていないのですか。わたしが五千人に五つのパンを裂いて上げたとき、パン切れを取り集めて、幾つのかごがいっぱいになりましたか。』とおっしゃいました。」（マルコ八・18～19）

私は癒しの集会に多く出かけますが、神がされることをいつも知り、理解し、聞き、見るわけではありません。しかし、いつでも必ずできることがあります。神がして下さったことを土台に生活し、そのことを自分の中で思い起こすことです。人々は私に言います。

「私は、あなたのようには奇跡を見ていません。」

私は、彼等に答えます。

「奇跡があなたを通して行われる必要があると、どなたがおっしゃっていますか？　神がそうおっしゃっているんですよ。」

聖書は、あなたが代価を支払って求める価値のある偉大な書物で、奇跡についての記述が満載されています。とにかく、神のなさった奇跡ばかりです。私たちは、神がなさったことの証を読む時、何がすでに起こっているのかという歴史と指標を学び、そのことを思い起こしてミニストリーの起点とすることができます。私は、神のなさった素晴らしい記録に、自分が常に一直線上に並ぶことを確めるようにしています。私は、神に示されたと感じることが実際の体験として現れるまで、この啓示について説教したいと思いませんでした。

数年前に南米に行った時のことです。厚底靴を履いた若い女性が私のところに来て、足と背中のことを祈って欲しいと言いました。見ると、彼女は片方の足が六、七センチ短いことが分かりました。片方の足の底が、もう片方の足の踝（くるぶし）のさらに上まで来ています。私の心に現れた最初の反応は、恐れでした。しばらくの間祈りましたが、何も起こりませんでした。何も起こっていないのが分かるほどに、私の祈りは激しくなりました。自分で何かを起こそうともがいているかのようでした。

そのとき、教会の集会場の反対側にいた当時八歳の娘の姿が目に入りました。子どものような信仰を持って祈るのが最善なのだと思いました。娘も祈りに加わりました。私はその時、神がなさったことを思い起こすことによって得る力を、神は私にずっと示して下さっていたことに気付きました。私は神に言いました。

「でも神様、私は足が伸びるのを見たことがあるか、思い出せません。」

すると神の声が、ハッキリこう言うのを聴きました。

「本当に、足が伸びるのを見たことがないのか？」

私は、少し前の日曜礼拝で、ビル・ジョンソン師が片方の足が短いと医師から診断されている人がいるかと尋ねたことを思い出しました。一人の女性が前に出てきて、ステージの椅子に座りました。

私は、会場に設置された大きなスクリーンで、彼女の足が少なくても二センチ半は伸びたのを見ました。

私はこの奇跡を、何度も繰り返し心の中で再生しました。すると、時間をおかずに、私が祈っている少女の足が震えたので、私は何かが起ころうとしていることを知りました。私は、今起こったこのことに感謝する祈りに変えました。その直後、彼女の短い方の足が伸びてもう片方と同じ長さになり、少女は大声で叫んだので、私は彼女を踏みつけてしまったのではないかと思いました。彼女は飛び跳ねるようにして椅子から立ち上がり、前後にダンスしながら教会の入口まで私と一緒に行きました。

大事なことを強調するために、いくつか別の証を紹介しましょう。私はある土曜の夜の癒しの部屋で、生まれつき完全に左の耳が聞こえない男性二人のために祈りました。どんなに長く祈っても、また、どんな祈り方をしても、癒しはまったく起きませんでした。翌週の水曜日、この二人も出席した集会の会場に別の耳の不自由な男性が現れ、祈ったところ、すぐに癒されて完全に聞こえるようになりました。

そのとき、私は神のされたことを思い出すことから得る力を突然思い出し、部屋の中を横切って土曜の夜に祈った男性の内の一人に近づきました。そして、たった今しがた耳が癒された人の証をしてから祈ると、瞬時に聞こえるようになりました。私は彼の耳に手をかざして祈ろうとしたのですが、私の手が彼の耳に届く前にその癒しは起こりました。その男性をゆっくり祝福する時間はありませんでした。土曜日に祈ったもう一人の男性が見えたからです。その男性には今起こった二人分の話をしてから祈りました。私が証をしながら祈ると、その人も、私が手をかざす前に、ほんの短い間の祈りで完全に聞こえるようになりました

もう一つの証は、海外での体験です。クローン病の男性を祈ったときの話です。その男性は私に、「いままでに、クローン病の人が癒されるのを見たことがありますか？」と訊きました。私は、その時点では経験がなかったので、そのことを彼には言いたくありませんでした。そのとき、突然、父から聞いた証を思い出しました。クローン病のため人工肛門造設手術が予定されていた女性の求めに応じて祈ったら、癒されたという話です。私は、その男性にその証を分かちあってから、彼の場合、癒されたことをどのようにして知ることができるかと尋ねました。彼は、触れられないほど胃の辺りが非常に敏感になっているので、すぐに分かると言いました。

私は短いお祈りをし、彼は嬉しそうな表情を顔に浮かべながら胃の辺りを軽くつつきました。私は、他にも確かめる方法があるか彼に尋ねました。彼は、「腕立て伏せが一回もできなかったんだ」と答えました。私は彼に、「私が他の人を祈っている間にテストしてみたらどうか」と言いました。彼は数分間どこかに行って戻って来て、私の肩を軽く叩き、「四〇回もできたよ」と言いました。

私は帰国してから数週間後に、別の癒しのカンファランスで講演した際に、そのクローン病が癒された男性の証をしたところ、一人の男性が立ち上がって、「私もクローン病です!」と叫びました。「**イエスのあかしは預言の霊です**」(黙示録一九・10)。神がしてくださったことを証するとき、私たちはこれから起ころうとすることを、予言的に宣言しているのです。私たちは、奇跡が再生される環境を創造しています。私は壇上からその男性を指さし、「イエスの証は預言の霊です。」と言いました。私は、奇蹟が私の口から飛び出し、部屋を横切って飛んで行き、彼の胃を打ったのが分かりました。彼は座席に崩れるように座り、私は話しを続けました。私はすごいことが起こったと分かりましたので、彼と話がしたいと思いましたが、彼は部屋からすぐに出て行ってしまいました。

翌朝、彼はカンファランスの次のセッションに来て、私に自己紹介をしてくれました。私は彼に、癒されたことがどうして分かったのか、そして、セッションの後でどうしてすぐに部屋から出て行ったのか尋ねました。彼は、これまで病気のためにジャンクフードと乳製品を食べることができなかったそうです。しかし、癒されたことが分かったのでトリプル・チーズバーガーを食べに行ったと説明してくれました。朝も気分が大変良かったので、ミルクシェークを買いに行ったと、満足そうでした。彼から八ヶ月後にメールが届き、あれから病院で検査を受けましたが、クローン病の形跡はなく、医師は投薬をストップしたと書いてありました。

私はただ単純に、神がして下さったことを思い起こして神を招き、また、証の力を分かち合い、神とともに歩む生活をすることによって、クローン病の癒しの奇跡が再生されるのをずっと見てきました。

豊かさからの奉仕活動

私は、神が私にして下さったことと、今、して下さっていること、そして、それらの足跡の記録を基礎にしてミニストリーの方法を学んでいます。多くの人は自分の体験に基づいて生活しながら、彼らの生活の中にブレークスルーがなぜ見られないのかと不思議がっています。

例えば、あなたがクローン病の人に祈りの奉仕をするとします。しかも、あなたを通してクローン病が癒されたことがなかったとします。そんな時、多くの人は、癒しに失敗した最後に祈った人のケース、あるいは、もっと悪いケースでは最後に祈った人が亡くなったことなどを考えて奉仕します。このように私たちは、自分が経験した過去の記録を基にして奉仕します。奉仕した人が百パーセント癒されてきたならば、過去を参考にしてもよいのですが、そうではありません。

むしろ、イエスのみもとに来た人は百パーセント癒された、その奇跡の記録に焦点を置いて奉仕する方を選ぶべきでしょう。

次に奉仕する時は、人から聞いた、あるいは、自分が体験した直近の奇跡のことを考えて下さい。自分が見たことを思い出して癒しの奉仕をする時、私たちは神の豊かさの観点から奉仕をしています。しかし、私たちが成功しなかった例を思い出して奉仕すると、欠乏を元に奉仕することになります。私たちは、信仰と豊かさの中に留まってすべてのことを行わなければなりません。そして、そのための最善の方法は、イエスがして下さったこと、また、今もして下さっていることを思い起こすことです。イエスがなさった奇跡を一度見聞きすることで、あなたのミニストリーが一変します。どんな状況においても、あなたは欠乏の視点から祈ることを、決してしなくなります。私はカンファランスで、私の癒しの体験や、神がなさったことを見たことの記録を元にして、「知識の言葉」を使うことがしばしばありますが、それでも奇跡は何度も繰り返して再生されています。もしあなたが奇跡を見ていないとしたら、この本に書いてある奇跡を取り上げて下さい。もっと素晴らしいのは聖書です。聖書には奇跡が満載されています。あなたが次にクローン病や他の病気の人に対して癒しの奉仕をする時は、この本の証や聖書の奇跡を思い起こして、信仰の豊かな実りの中で行なって下さい。

証を喚起することは本当に大切なことです。私のコンピューターには数千の証が記録されています。カンファランスでは、人々に証を送信してくれるように頼みます。神がして下さった証を喚起することは、超自然的な道を歩く上で無くてはならないものです。それに、私たちにとって大切なことは、神様が証を喜ばれるということです。

私は、あなたのさとし（証）を永遠のゆずりとして受け継ぎました。これこそ、私の心の喜びです。

（詩篇一一九・111）

神は、一つひとつの証を喜ばれます。神がして下さった証を分かち合うことは大切です。私は癒しのカンファランスで、証は神に栄光を帰するものだから、もし私たちが証を分かち合う準備ができていないとしたら、神の栄光を取り去ってしまうことになるとしばしば言っています。

第十一章　癒しの障害物になるもの

前にも書きましたが、癒しについて最も大きな障害物になるのは、信仰が薄いことではなく、疑うことです。どんな局面においても、直面する問題よりも答えの方が常に大きいことを学ぶと、問題に関する障害は少なくなります。多くの人は、自分たちに力がなく、ブレークスルー（打ち破り）が見られないことを正当化するため、障害の周囲に独自の理論を造りあげます。

私たちが障害に焦点を当ててしまうと、障害を実際の大きさより拡大して見てしまい、癒しの奉仕の時に、そのイメージを祈る相手に投影してしまいます。

私が個人的に徹底しているのは、癒しの受け手の関心を、問題あるいは問題と推測されるものに当てるのではなく、彼らの目線を答えであるイエスに向かわせることです。なぜ癒しが起こらないかを詳細に渡って説明する解説書は山ほどありますが、私のアプローチ法はそれらとは異なっていて、その途上に障害物が立ち塞がることのない「答え」に焦点を当てることです。

私は、イエスのようなミニストリーをしたいという人には、それなら、主がされたようにすべきだと言います。聖書には、イエスが問題について述べている箇所は見当りません。イエスが運んで来る環境は持ち込まれる問題よりももっと大きいので、主がなさるのは、答えを解放することだけです。マルコ十章五一節で、イエスが盲人のバルテマイに「**わたしに何をしてほしいのか**」と尋ねる時にその状況が見られます。

バルテマイには「盲人バルテマイ」という名前がつけられていました。彼は、その名の示す通り、盲人でした。そんな彼に、イエスはなぜ質問をしたのでしょうか？　イエスは神の御国の環境を携えていました。バルテマイは、彼自信の環境を身につけていました。おそらくイエスは、病気が彼の主体になってしまっているかどうかをテストされたのでしょう。彼は、癒しではなく、単に祝福されることを求めてきたのかもしれません。そのため主は、彼の口から「信仰に向かう意思」が出ることを願われたのではないでしょうか。

　病気がその人の主体になってしまうと、その人は実のところ、癒されることを望まなくなるケースがあります。このようなケースでも、私は、そうした人々を愛することを止(や)めません。主は単に、答えただけではありませんでした。最初に、バルテマイという盲人に向かって「わたしに何をしてほしいのか」とお尋ねになりました。

　ヨハネの福音書九章二～三節では、生まれつきの盲人についての説話が出てきます。イエスの弟子たちがイエスに、「**先生。彼が盲目に生まれついたのは、だれかが罪を犯したからですか。この人ですか。その両親ですか。**」と質問しました。イエスは「**この人が罪を犯したのでもなく、両親でもありません。神のわざがこの人に現れるためです。**」と答えました。

　神は、私たちの目の前に積まれたバリケードよりもはるかに大きい方です。この人も、この人の両親も、これまでどこかで罪を犯したことがあると思いますが、主の関心は、神の御業が現れることにありました。もし私たちが癒されるために完璧になる必要があるとしたら、癒される資格が自分たちの内にあることになり、癒されたり神に用いて頂いたりするのは非常に難しいことになるでしょう。

このことに触れる必要がないと良いのですが、私の発言が文脈を無視して取り上げられ、罪を犯す免許の取得を奨励しているかのように言われる恐れがあることを知っています。それは真実ではなく、私の心でもありません。罪を意図的に犯すことを選択する人は、罪を犯す許可を誰かに求めているわけではありません。彼らはとにかく罪を犯し、それは「愚か者の霊」の仕業によるのです。たとえ罪の中にある人々であっても、キリストが買い戻してくださった体と魂と霊の自由の中を歩けるよう、すべての次元で癒しを受けるのを見ることが私の望みです。

人々は、自分は癒されるべきではないといった考えに基づく、釈然としない障害物を抱えながらやって来ます。私は、仮にその障害物が癒しを妨げている可能性があるとしても、彼らは障害物を抱えたまま来ることができると強く信じています。しかし私は、彼らのその障害物よりも大きな答えを、自分の生活の中に携えているという信念を持っています。そうすると、その障害物はもはや障害ではなくなります。

例を一つ挙げてみましょう。あなたのところに奇跡を求めてやってきた人がいるとします。あなたは祈りましたが、何も起こりませんでした。そのような時、私たちは自分たちのひ弱な心を現わし、誰か許してない人はいないか尋ねたりします。これはどういうことなのでしょうか？　私たちは、奇跡に対する自分たちの力の無さを、彼らの心に投影したのです。私たちは、彼らの目が答えから逸れて内側を見るようにさせました。すると、彼らは問題や欠陥ばかりを見るようになり、内省して傷つき、自信を失います。

あなたが生活の中に奇跡を見るようになり、とりわけ、祈りを受ける人たちがあなたを力ある働きをする人として知っている時、彼らはあなたが神の声を鮮明に聞いているだろうと思います。そして神があなたの耳元でその人の欠点を囁いておられるのではないかと思ってしまうのです。しかし私たちは皆、すでに自分の暗闇について知っています。ですから、その点について他人から指摘を受ける必要がないことを理解しなければなりません。

私が体の癒しだけに焦点を当て、祈る相手の生活の中に許せない人がいるか、あるいは、罪を抱えているかどうかといったことに関心がないのは、この点にあります。それは真理ではないからです。奉仕の最中に、祈る相手の生活の中に対処しなければならない許せない人がいることを神が私に語り、また、その人の名前（たとえば父親）を私の心の内にそっと教えてくれたように感じた場合でも、私は彼らに名前を挙げてそのようなことがあるかなどと、直接には質問しません。

私はごく日常的な会話をします。いま住んでいる町、育ったところなどを尋ねていくうちに、たいていの場合、彼らの方から自分の問題（あるいは問題のないこと）を語り出します。

もし私が、神の語り掛けを間違って聞いていたとしたらどうなるでしょう。彼らが許してないことを私が見たと思い、内省し、私が指摘した暗闇を探し始めます。しかし、彼らとの関係を大切にして純粋な心から質問するときは、ほとんどいつも、彼らは私が聞きたいと思っていた答えを語ってくれます。私はその時点から、彼らを自由へと導く手助けを始めます。

ある晩の癒しの集会で一人の女性が私のところに来て、ヘロインの常用癖を祈って欲しいと言いました。私は、「もちろん祈りますよ」と答え、彼女に名前を尋ねました。その時、私は、「彼女は母親に対する許せない感情を抱えている」と主が語ったように感じました。それから、次のような会話をしました。

「この町のどこで育ったのですか。そこにずっと住んでいたのですか。あなたの両親はまだそこに住んでいますか？」

「いいえ。両親は地獄の火炎の中にいます。そこは彼らに見合ったところです。」

このとき、彼女は問題を抱えていて、私が神から聞いた言葉が正しかったことが分かりました。私は彼女にお願いをして、私と一緒にしてもらう作業があることを話し、「私の母は天国にいます」とだけ言って欲しいと頼みました。

　彼女は笑って、「そんなことは言えません。母はずっと私を虐待しました。クリス、残念だけど母は地獄にいます。」と言いました。

「一緒にしてもらう作業があると言ったのはこのことなんだ。単純に、『母は天国にいます』って言うだけでなんだけど。」

　彼女はやっとの思いで、「分かったわ。あなたといっしょに作業してみるわ。」

「お母さんは今、いい生活を送っているだろうか、それとも悪い生活かな?」

「母は主イエスと素晴らしい時を過ごしています。」

「そのとおり。では、次の質問に答えて。この二人の関係の中にあって、良くない体験を未だにしているのは誰ですか?」

「私だと思います。」

「そのことで何かしたいと思わないかな?」

「思うわ。お願い、私、惨めだわ。クリス。」

　私はこのあと、母親を許す祈りへと彼女を導きました。そして、その夜、素晴らしいことに、彼女はイエスの力によって薬中毒から解放されました。

私は、彼女の問題に関する主の語り掛けをはっきりと聞いたように感じたとき、その問題を指摘して、彼女の問題を引っ張り出すことはしませんでした。私は単に彼女に適切と思える質問をし、彼女は私が問題にすぐに対処できるよう、私が必要とするすべてに答えてくれました。そして、開放がやってきたのです。

もしあなたが何度も同じ課題で祈りを受け、その度に、祈り手が自分の力不足をよそにして、「許してない人はいないいか」と聞いたり、悪霊の追い出しを祈ったりしたら、あなたは、自分の中には追い出すことが出来ない大きな悪魔が入り込んでいると思い始めてしまうでしょう。

根本的な原因に対処する時も同じことが言えます。祈ってその人が癒されなかった時でも、私は根本的な問題があることを伝えることによって、自分の力のなさを棚に上げるようなことはしたくありません。知恵を持たずにこのような問題を指摘することは、人を内省に導きます。

ひとつの問題について、直接に確認することが必要になる時もあるでしょうし、そのようなことが決してないとは言いません。ただ私は、こうしたことにとりわけ慎重に対処したいと思っています。祈りの受け手に癒しが起こらないからという理由では、こうしたことをしません。私はむしろ、私の中におられ、私を通して働かれる神がどのような方なのかという啓示をより鮮明に受け、また、神の善良性と愛の力についての啓示を理解できるように、神の御前に行って顔を近づけて祈ります。

私は、答えの豊かさの中で生活することを学びながら、命が解き放たれるのをもっと見たいと願っています。なぜなら、答えよりさらに大きいものに出会うことには、何の問題もないからです。イエスの血潮によって贖われなかった罪や病気は、私たちの生活のどこを探してもありません。

第十二章　インパーテーションの力

インパーテーション（按手などを通して、ある人が持っている賜物や霊的な祝福、責任などが他の人に移行し、流れ込むこと）の重要性については、聖書のあらゆる箇所にその例を見ることができます。

マタイ一九章一三～一五節には、イエスに手を置いて祈っていただくために連れて来られた子どもたちについての記述があります。私たちは、イエスはどこに行かれても人々をお癒しになることを知っていますが、この聖句では、子どもたちが癒しの祈りを受けるために連れて来られたと、直接に表現されていません。イエスは言われました。「**子どもたちを許してやりなさい。邪魔をしないでわたしのところに来させなさい。天の御国はこのような者たちの国なのです。**」（マタイ一九・14）

マルコ一六章一八節では、イエスご自身が大宣教命令を発しておられます。「……病人に手を置けば病人はいやされます。」手を置くことによってインパーテーションが行われています。

使途の働き一九章十一～十二節では、命令と宣教への任命のために按手が行われています。バルナバとサウロの上に手が置かれ、聖霊の召しを受けて出かけて行きました。ここでは、油注ぎは感じることができ、転移されるべきものだということがわかります。「**神はパウロの手によって驚くべき奇蹟を行なわれた。パウロの身に着けている手ぬぐいや前掛けをはずして病人に当てると、その病気は去り、悪霊は出て行った。**」

第一テモテ四章一四節では、按手式のために手が置かれたことが分かります。「**長老たちによる按**

手を受けたとき、預言によって与えられた、あなたのうちにある聖霊の賜物を軽んじてはいけません。」

ローマ人への手紙一章十一〜十二節では、インパーテーションの概念を見ることができます。「私があなたがたに会いたいと切に望むのは、御霊の賜物をいくらかでもあなたがたに分けて、あなたがたを強くしたいからです。というよりも、あなたがたの間にいて、あなたがたと私との互いの信仰によって、ともに励ましを受けたいのです。」

インパーテーションの力については、私が歩いてきた道に対する私なりの展望をお伝えするのが最も適切だと思っています。ブレークスルーを体験するまでに私が祈った人は、千人を超えていました。それまで、私は奇跡を見ることができなくて、焦燥感に駆られていました。奇跡とともにある生活をしている人は、私の周りには一人もいませんでした。私は、あらゆる機会を見つけて癒しについて学びましたが、奇跡はあまり見ることができませんでした。

その時、私の心の中に、「奇跡を日常的に体験しているような人にできる限り近づくことが一番の早道」という思いが浮かびました。先ず、ペンシルバニア州にあるランディ・クラーク師の癒しのスクールで学ぶことにしました。ニュージーランドからの途上、カリフォルニア州のレディングにあるベテル教会で週末を過ごしました。そこで聞いたスピーチによって私の価値観は一変しました。インパーテーションに関する御言葉の教えは素晴らしく、私の心の持ち方が文字どおり一新しました。

レディングを発ち、ランディ・クラーク師のスクールに行きました。着いた日の夜、クラーク師の授業に出ると、インパーテーションの時間でした。クラーク師は、インパーテーションの祈りを受けたい人全員のために祈ろうとしていました。クラーク師が壇上から呼びかけると、私は磁石に引きつけられるように、誰よりも早くステージの前に進んで行きました。それほど、私は祈りを受けることに飢え渇いていました。私の後ろには、千人ほどの人が並びました。

この時のことは今でも鮮明に覚えていますが、師が私の頭に手を置くと、天国から直接下って来たかのような電流が私の体を貫きました。私は吹っ飛び、床に倒れました。そして、ゆうに一時間以上、激しく震えていました。それから、私は這うようにして、師のインターンたちが隣に座っている自分の席に戻りました。彼等は私を見て笑いながら「何が起こったの?」と言いました。私が説明していると、彼らは私の頭に手を置いて、「もっと、神様」と言いました。すると再びひっくり返り、気が付くとイスの下に横たわっており、暫くその場所から動けませんでした。私はその夜、私の中で何かが変わったことを感じ、私に新たな冒険が待っていることが分かりました。

数日後、私はニュージーランドに戻る途中、シカゴ空港で厚いピザを食べながら、ランディー師の授業で体験したことについて考えていました。神がなさったことに圧倒され我を忘れていた私は、ピザに顔を突っ込んでいました。私が立ち上がると、私の顔とシャツからピザのトッピングのチーズが糸を引いて垂れていました。

今日でも私は、可能な限り、癒しに関して私より高い領域にいる人にインパーテーションの祈りをしてもらうことを心掛け、世界の偉大なリバイバリスト達から祈りを受ける素晴らしい機会を頂いています。偉大な神の男女のみなさんの傍で仕え、教えてもらうようにしています。

私自身も、癒しのスクールやカンファランスで世界を回る中で、祈りを求めて来る人たちに、出来る限りインパーテーションの奉仕をするようにしています。奇跡を体験するようになって七、八年経ったころから、「あなたの中におられるキリスト、栄光の望み」という聖句の奥義に関する啓示が激しく下るようになりました。私は、多くの人が自分は何も持っていないからという絶望感から、インパーテーションを求めて来ることに気づき始めました。しかし、ヨハネ第一の手紙二章二〇節にあるように、私たちは聖なる方からすでに油注ぎを受けているのです。

私の展望では、クリスチャンはペンテコステの炎が頭の上で燃えていますので、インパーテーションによって新たに火をつける必要はありません。ただし私には、インパーテーションは、私たちが持っているその炎にガソリンを注いでいるように見えます。主とともにどのような道を歩むかによって、それぞれの炎のサイズが異なるからです。

私は、その人が持つ賜物を尊敬する時、その人の賜物のインパーテーションと転移を受けることができると、全面的に信じています。ただし、受けた賜物をどのように培うかも重要なことです。

私はいつでもインパーテーションの祈りをすることを人々に伝えていて、実際に受けた人の中には、床に倒れ、私がランディー師のところで体験したような感覚になった人がいます。しかし、そのような体験をした人でも、受けたものを培うことがなくその後の生活が全く変わらずにいる人を見かけます。反対に、私がインパーテーションの祈りをした人で、その時きは何も感じなかったものの、感覚ではなく信仰によって何かしらを得たと信じ、その日から新しい生活を始めて、受けたものを人に分け与えた結果、その人の手を通して凄い奇跡が現れる道を歩み始めた人もいます。

私は、ランディ・クラーク師とビル・ジョンソン師から日をおかずにインパーテーションを受けるまで、私の手を通して奇跡が行われるのを体験したことがまったくありませんでした。その翌日、私は私を通した奇跡を初めて体験しました。インパーテーションは、受けた後にしかるべき生き方を選択した時にのみ有効となり、受けたものは培われなければならないことを理解しました。

私はその日から、意識的に人のために祈る生活を始めました。私は、頭の上の炎にガソリンが注がれたことを信じて、リスクを取るポジションに自分を追い込みました。

以来、私は毎週、奇跡を見るようになりました。私は学んだ通りに、体験したことが増し加わるようにと小さな癒しにも感謝を捧げることを続けた時、夢を見ているかのような本当に素晴らしい奇跡を体験する祝福を受けました。

多くの人はインパーテーションからインパーテーションへと渡り歩きますが、受けたものを培うことに失敗しています。受けたものを増やすには、人に与えることを学ぶことが大切です。

「与えなさい。そうすれば、自分も与えられます。人々は量りをよくして、押しつけ、揺すり入れ、あふれるまでにして、ふところに入れてくれるでしょう。…」（ルカ六・38）

私はインパーテーションの力を愛し信じていますが、ポイントは、私たちが現実的に聖霊の臨在を携えていることを、本当に信じられるかどうかです。もし私たちが私たちの内に栄光の望みがおられることを信じられないとしたら、どうして神にすべてを委ねることができるのでしょうか。

私は、より高い領域にいる人たちにインパーテーションの祈りを一番乗りでしてもらうことを心掛けていますが、その際には、私は何も持っていないからとか、あるいは、頭の上で燃えているはずのペンテコステの炎がないからといった視点での祈りを受けることはありません。私は、ペンテコステのオリジナルの炎をすでに持っていて、それにガソリンをかけて欲しいという視点のもとに祈りを受けます。

私たちは、インパーテーションは純粋に手を置いてするものだと限定しがちです。「カンファランスに参加してもインパーテーションを受ける機会がなかった」と嘆く人がいます。彼らはインパーテーションを受けていないと考えています。しかし、私たちは、講演や説教の中で語られる御言葉からも、パワフルなインパーテーションを受けられます。私が受けた最もパワフルなインパーテーションのいくつかは、御言葉ついて教えてもらった時のものです。

すでにお伝えしていますが、私はインパーテーションの働きについて完全に理解していません。しかし、私はこれからも、私がまだ見ていない喜びを体験している、より高い領域にいる人たちに手を置いてもらい、御言葉について学び続けます。

私は、偉大な神の男女のみなさんから祈りを受けるためならば、たとえ大変不便なところであっても出かけて行きます。私はフレッダ・リンゼイ女史と、彼女が主の元に行かれる数か月前に、食事を共にしながら過ごす光栄を得ました。彼女の夫は、聖書学校クライスト・フォー・ザ・ネイションズ(CFNI)創立者ゴードン・リンゼイ師です。

私は過去数十年間、リンゼイ師夫妻が福音伝道に支払った代価の大きさに敬意を表しています。すでに私に与えられている復活したキリストの霊についての啓示や理解を否定したり、無視することではなく、謙遜な面持ちで、こうした素晴らしい人たちに私の生活の祝福や油注ぎの増し加わりや神との関係の深まりを祈ってもらったり、御国の拡大への同労者となるための鍵となるアドバイスを頂く時、私の中に大きな実りがもたらされるのを感じています。

リンゼイ夫人のアドバイスは、神が私を通してして下さることを、いつも謙虚に受け止めて歩んでいきなさいというものでした。私は、私の中にすでに息づいているものを否定せず、その一方で、インパーテーションと、人から祈って頂く時に常に経験する豊かな実りを愛しています。

第十三章　イエスとの友情

奇跡を体験する生活の基盤は、神を第一とすることだけではありません。「私たちの中におられる神」を理解することも重要です。そこに私たちの存在意義があります。私たちの存在意義はただ神にあってのものです。私がしたことではなく、神がしてくださったことに土台を置かなければなりません。しかし、さらに根底にある大切な真理があります。それは、主イエスご自身との友情から生まれてきます。神との友情を抜きにして、どうして私たちの本来の存在の意義を確立できるでしょうか。それでは、単なる頭の中の知識でしかなくなってしまいます。

原理原則を適用すること自体には問題がないのですが、超自然的な歩みについて書く中で最も危険なことの一つは、奇跡の体験への原理だけを述べ、王子であるイエスとの友情を抜きにした生活をしてしまうことです。原理だけを適用し、しかもそのような生活をしながら、ある程度奇跡の働きができてしまうことがあるのです。

私たちは、生活の中に奇跡を見ることができますが、それは、主の恵みと友情に完全に依存します。ところが、奇跡を絶え間なく経験するようになると、「自分はよくやっている」との思い込みから、「こんなに仕事に長けているのだから、神の友情から独立してもやって行ける」という結論に達してしまう人がいます。

ある日、私は真ん中の娘のエマとドライブに出かけました。エマは突然、私に「お父さんがこの世の中で一番欲しいものはなに？」と質問してきました。彼女は、私が答える間もなく、「ちょっと待って。私、分かっているわ。姉さんのシャーロットが癒されることでしょう。」と言いました。私も間髪入れずに「違うんだエマ。もっと他に欲しいものがあるのさ。お父さんは、神様ともっと深い友情を持って、神様の声をもっと鮮明に聞きたいんだ。」と答えてから、「もっと神様の声がはっきり聞こえるようになれば、シャーロットが癒されるという実りも見られるだろう。」と続けました。

彼女はしばらく考えてから、「でもね、お父さん。私はお父さんが、奇跡や病気の人が癒されるのを、いつも見たいと思っているのを知っているわ。だったら、世界中の人が癒されるのを見たいと思わないの？」と言いました。

私は、躊躇せずに返事しました。「エマ。そうじゃないんだ。神様ともっと深い友情を持って、神様の声をもっと鮮明に聞くことが父さんの願いなんだよ。」

どうかこのことを悪く取らないで頂きたいと思います。二つのうちの一つを選択しなければいけないということはありませんし、私も両方とも欲しいのですが、もし一つの選択肢しか残されていない場合は、神との友情を取ることになります。私は、神が私の中に住み、私から離れたところにはおられないことを知っています。しかし、私は生活の中で神をもっと探究したいのです。私の生活にとって最高の喜びは、神をもっと知り、神にもっと知って頂くことです。私は奇跡を見ることを望んではいますが、それでもなお、神を知るために、王の王と友情を持ちながら過ごす時間や、神の足もとで賛美する時間、そして、神の御言葉の中で過ごす時間を大事にしたいと思っています。神の御言葉を学ぶことは最高の喜びの一つです。ビル・ジョンソン師は次のように明確に言っています。

「私は説教のための勉強はしません。自分のために勉強するのです。」

私は神を知って、神が私に向けておられる愛と気質をもっと理解したいがために、御言葉を勉強し、神とともに過ごしたいのです。私が神との間に豊かな関係を持つことは、私の周囲の人たちにとっても喜びとなります。私が神と豊かな関係を持つことは、神の本質的なご性質に私が浸ることになるので、超自然的な力が私の内に豊かに流れるようになります。

ルツ記は、旧約聖書の中でも私がとりわけ好きな箇所です。ルツとボアズの間で展開されるロマンスは、本当に素晴しいものです。私たちは、ルツ記の中に驚くべきイエスについての黙示を見ることができます。ボアズという人物の中にイエスが現れます。ボアズは、ベツレヘムに住む富んだ人でした。イエスは、旧約聖書全体に見ることができ、旧約聖書の幾人かの生活を通して現れます。

まず、ルツ記の歴史的な背景を見てみましょう。この説話は紀元前一三三二年から始まります。ルツという名前には、「美」や「友達」という意味があります。ルツはユダヤ人ではなく、モアブ人でした。ルツのひ孫はダビデ、そしてダビデの子はソロモンです。ソロモンは、地上で最も富み、すべてにおいて恵まれた王であったことが知られています。ルツにはナオミという義母がいました。ナオミはイスラエルを出て、約束の地、モアブに行きました。モアブの地は、偶像礼拝をすることで知られていました。ナオミは夫と二人の息子と一緒にイスラエルを出ました。息子の一人はルツと結婚し、もう一人はオルパという名前の女性と結婚しました。

ナオミの息子たちの名前はアムロン（意味は、病）とキルヨン（意味は、やつれ）です。ナオミの夫とこの二人の息子は死にました（名前の通りになって驚きです）。息子たちの妻、ルツとオルパ（意味は、固いうなじ、ふた心）はやもめになりました。オルパはモアブに残ることを決心し、ルツは義母のナオミと一緒にナオミの故郷のベツレヘム（意味は、パンの家）に行くことを決意しました。ナオミは、神はベツレヘムの民を祝福すると聞いていました。

ナオミはイスラエルの民の象徴で、ルツはあなたや私の象徴です。私たちは、霊的にはアブラハムの子孫ですが、イスラエル人ではないからです。イエスはアブラムの子孫であり、イエスは私たちの主人ですから、私たちは、神がアブラハムに与えたすべての財産を得ることができます。イエスは私たちを花嫁とします。私たちの行いには関係なく、王子があなたと結婚する時、あなたはもはや中産階級ではなく、王妃になります（男性はこのことを信じることが必要です）。すると、あなたはイエスの御名を継ぎ、王子の持っている財産はすべてあなたのものとなります。

次に、ボアズについて見てみましょう。彼は非常に富んだ男でした。ボアズの名前の意味は、力です。ナオミとルツは約束の地から戻り、二章でも触れましたが、ルツは自分によくしてくれそうな人の後について落ち穂拾いができるよう、畑に行かせてくれとナオミに頼みました。こうして、ルツが畑に行ってみると、たまたまそこはボアズの畑でした。ルツは、沢山の祝福とともにボアズの畑から帰って来ました。彼女は、十日分の糧となる大麦一エバを持ち帰りました。

しゅうとめは彼女に言った。「きょう、どこで落ち穂を拾い集めたのですか。どこで働いたのですか。あなたに目を留めてくださった方に祝福がありますように。」彼女はしゅうとめに自分の働いてきた所のことを告げ、「きょう、私はボアズという名の人の所で働きました。」と言った。（ルツ記二・19）

ルツがナオミにボアズの名前を告げると、ナオミは「その人は私たちの親類で、私たちの近親者の一人です」と言いました。ナオミとルツはモアブから来た時、二人は貧しかったのです。

モーセの律法では、土地を離れたり、貧困によって喪失したりした土地は、その人たちの近親者が買い戻すことができました。ナオミは、十年間土地を離れていたため、その土地を失っていました。その買戻しをする人は、近親（血縁）贖い主と呼ばれていました。

キリスト・イエスは私たちを贖って下さいました。私たちが健康を失っても、怠慢によって過ちを犯しても、私たちの贖い主であるイエスは、私たちが失ったものを買い戻すことができます。

ボアズと呼ばれた人はイエスの象徴です。ボアズは、血縁贖い主でした。贖い主には、買い戻す時に三つの条件が課せられました。

一．親戚であること。

神は親類になるために、肉を持つ人として来て下さいました。神は、私たちを贖うために、人としての役割をお持ちになりました。

二．贖う意思を持っていること。

イエスは意思をお持ちでしたか？　はい、お持ちでした。私たちは十字架で手を広げているイエスを見ました。イエスは、罪や貧困や呪われた奴隷市場から私たちを買い戻して下さいました。イエスは、真の贖い主です。

三．富めるものであること。

私たちは、ボアズが富んでいたことをこの説話から知ることができます。イエスも千の丘で牛を所有しておられました。イエスは大変豊かでした。

ルツは今、ボアズが近親者の一人であることを知っています。イエスは、救い主、もしくは贖い主の一人であることをお望みではありません。イエスは、唯一の贖い主であることをお望みです。イエスは、唯一真の贖い主です。

ナオミはルツに、今夜、ボアズが打ち場で大麦をふるい分けようとしていることを告げます（ルツ記三・2参照）。打ち場はふつう高いところにあり、ふるい分けは風が強くなる夜に行われます。彼らは大麦の束を打ち、次に熊手で大麦を空中に投げ飛ばします。大麦の茎は軽いので遠くへ飛ばされ、実は重いので下に落ちます。

ボアズは夜、幾人かの男たちとこの作業を行い、ナオミはルツに「あなたはからだを洗って、油を塗り、晴れ着をまとい、ボアズのところに行きなさい」と言いました（ルツ記三・3参照）。これは、当時の習慣です。ルツはボアズにプロポーズしようとしたのです。

私たちは、ボアズは私たちの主イエス・キリストのイメージであることを忘れてはなりません。ルツ記には、御国におられる私たちのボアズであるイエスのイメージが満載されています。ルツがボアズの足もとにひれ伏したときに何が起きましたか？　イエスの足もとで、あなたはイエスをとてつもなく偉大にします。それは、賛美であり、謙遜な姿です。私たちは福音書のいたるところで、イエスの足もとに来た人が奇跡を体験する記述を読むことができます。彼らは、イエスの贖いの力をうけました。それが病気の人であれば、病気は出て行かなければなりませんでした。イエスの足もとに来て賛美し、謙遜を示すことには、計り知れない力となる何かがあります。私たちは、主の足もとに来るとき、主から必ず得るものがあります。

聖書には、イエスの足もとに来た人たちについての話が幾つか書かれています。マルコ五章二十二節では、会堂管理者のヤイロの十二歳になる娘が死にかけました。娘は死にましたが、ヤイロはイエスの足もとにひれ伏し、娘は生きかえりました。

他の例も見てみましょう。

…イエスがある村に入られると、マルタという女が喜んで家にお迎えした。彼女にマリヤという妹がいたが、主の足もとにすわって、御言葉に聞き入っていた。（ルカ一〇・38～39）

そのうちのひとりは、自分のいやされたことがわかると、大声で神をほめたたえながら引き返して来て、イエスの足もとにひれ伏して感謝した。…（主は）その人に言われた。「立ち上がって、行きなさい。あなたの信仰が、あなたを直したのです。」（ルカ一七・15～16、19）

マルコ七章二五節では、娘が汚れた霊につかれたスロ・フェニキヤの生まれの女性が、イエスのところにやって来て足もとにひれ伏しました。そして、イエスは離れたところからその悪霊を追い出し、女性が家に戻ると娘は自由になっていました。私たちがイエスのみもとに来て賛美する時、私たちは全員イエスの足元にいるのです。私たちのすべてが同じ地の上でイエスを崇め、高く揚げます。ボアズは、目が覚めると言います。

「ところで、確かに私は買い戻しの権利のある親類です。しかし、私よりももっと近い買い戻しの権利のある親類がおります。今晩はここで過ごしなさい。朝になって、もしその人があなたに親類の役目を果たすなら、けっこうです。その人に親類の役目を果たさせなさい。しかし、もしその人があなたに親類の役目を果たすことを喜ばないなら、私があなたを買い戻します。主は生きておられる。とにかく、朝までおやすみなさい。」（ルツ記三・12～13）

ここ数年、主からよく語られる言葉が私の心に響いています。それは、「もっと時間をとって私の足もとに来て休息しなさい。」というものです。私たちはともすると、神のために働いているという意識から、力の源を忘れて忙しく働いています。そのような現代人にとって、命の根源であるイエスの足もとで休息する時間は、私たちが持っている特権といえるでしょう。

超自然的な環境の中で力強く行動し、しかも、決してそこに留まっていない。奇跡は単なる副産物であるかのように、イエスに心酔しているリバイバリストの世代を、私は待ち望んでいます。奇跡の起こし方を知っていても、奇跡を創造される方を知らないような人は見たくはありあません。神との関係を培い、創造主を愛す人、また、神の御言葉に固く立つ人を見たいと思います。

もう何年も前のことですが、神はある日私に大きな声で「あなたは、あなたが私を愛しているより、あなたのしていることをもっと愛している」と語られました。私は、非常に職務指向の大きな人間です。椅子に座って五分間静かにしていることを、とても難しく感じてしまいます。しかし私には、イエスの足もとに座る時間、賛美する時間、そして、イエスと御言葉から糧を得る時間が欠かせません。イエスが何をして下さるかではなく、ただ単に、そこにイエスがおられるからです。

昨日に奇跡があなたを通して起こるのを体験すると、自分は神と素晴らしい関係を築けたと、簡単に思いがちです。しかし、超自然的な奇跡を体験するための原理は理解したとしても、それで本当に王の王である方を知ったと言えるのでしょうか。私は、神をもっと知り、神からも知ってもらうようになることを優先しています。超自然的な体験をしている多くの教会が、今日ではこのような考えを持ち始めています。

喜んで主の足もとで賛美する時間を取ることについては、気持ちの上だけでなく、体も休めることが大事です。神の創造の御業を楽しむためには、家族とともに過ごし、レジャーやゴルフを楽しむ時間も大切です。休息のライフスタイルへと導かれるべきです。奇跡は休息することからやってきます。休息によって、私たちは自分が何者なのかという、自分を知ることができます。自分が誰なのかを知ることが、自分を明確にします。その輪郭を理解して行動するとき、私たちは問題に向かえます。奇跡によってアイデンティティを据えるのではなく、アイデンティティに導かれて奇跡が生まれるのです。

彼は言った。「あなたはだれか。」彼女は答えた。「私はあなたのはしためルツです。あなたのおおいを広げて、このはしためをおおってください。あなたは買い戻しの権利のある親類ですから。」（ルツ記三・9）

当時のイスラエルでは、もしあなたの兄弟（あるいは親戚）が死んだら、あなたは近親（血縁）贖い主として、その兄弟の妻と結婚して子どもたちを育てることを求められました。ボアズは、近親者のところに行ってナオミのために土地を買戻し、ルツを妻とします。彼らは息子を授かり、その子にオベデ（神のしもべ、賛美する者、神に続く者）という名をつけました。

これは、私たちと私たちの贖い主の関係を表わす、ルツとボアズの素晴らしい話しです。私たちが、イエスの存在そのものに心を留めて王としての偉大さを認識し、謙虚さから来る無垢な心で、贖い主であるイエスの足もとで賛美する時間を持つとき、王とその御国から流れ出る豊かさを身に帯びます。イエスは、私たちを贖い、回復させ、花嫁として迎えてくださいます。奇跡への道を歩むには、イエスを賛美する時間をしっかり持ちながら、イエスが何をしてくださるかではなく、主がどんな方であるかに心を馳せた友情が根底になければなりません。

第十四章　望みを持つ捕われ人

望みを持つ捕らわれ人よ。とりでに帰れ。
わたしは、きょうもまた告げ知らせる。
わたしは二倍のものをあなたに返すと。（ゼカリヤ九・12）

私はこの章を、子どもに特別な必要のある人すべてに、希望を持っていただくために捧げます。長い間健康を損ない病を抱えている、すべての人々のために書きます。私は、子どもの病気がなくなる日を心が焼けつくような思いで待ち望んでいます。私はこの一七年間、脳性まひ、自閉症、ダウン症、幼少期の障害への癒しを追いかけてきました。そして、この二年間で結果が見え始めました。強く推し進めても結果がなかなか出ないときは、気持ちをより強く持つ必要があります。一人の少女の脳性まひが画期的に改善しましたし、※1二人の自閉症の子が癒されました。私はそのことを神に感謝するとともに、もっと奇跡を見たいと思っています。

私は、子どもに特別な必要のある人が、希望を失ったときの気持ちがよく分かります。助けを求めても見ぬふりをされ、次第に周囲の人たちから忘れられ、孤立してしまったように感じてしまう、その気持ちが痛いほど分かります。しかし、どんな時でも、私はイエスに目を向け続けます。私は、すべての答えを持ってはいませんが、最後には必ずやり遂げられることを知っています。

妻のリツは、本当に素晴らしい妻であり、母親です。私たちは、子どもに特別な必要のある夫婦で、ずっとその道を旅して来ました。彼女は、私が世界中を回って講演をしている間、二四時間体制で子どもの介護をしています。

私は最後に、子どもに特別な必要のある人や病気で苦しんでいる人、特に医師から不治の病と診断された人たちに、燃え立つ希望を解き放つ証を紹介します。ホープ(Hope)という名の一〇歳の少女の素晴しい証です。

私たちは目線を、いつも目標である主に向け続けるべきです。目標となる方は、イエス・キリストです。私が希望を見失った時というのは、イエスがして下さったことから糧を得るのとは反対に、真実から目を離して事実ばかりに意識を集中してしまっている時でした。

このホープの奇跡は二〇一二年に起きました。そして、私がこの本を執筆しているのは二〇一三年です。私は、彼女が体験しているその後のブレークスルーについて、彼女と彼女の家族から定期的に連絡を受けていますが、これは彼女の母親が書いた証です。どうかこの証があなたの生活と境遇に希望を与え、あなたがその希望を、周囲の人に解き放たずにはいられないようになることを願っています。あなたの困難な状況に、大きな祝福がありますようにお祈りします。

ホープは二〇〇一年九月八日に生まれました。五歳のとき、自閉症の様態を示す、アスペルガー症候群による発達障害と診断されました。私たちはその日から祈り、セラピストの施術を受け、医師と話をし、本を読み、自閉症の子供の助けとなることは何でも学ぼうと、できる限りのことを実行しましたが、ホープの症状の改善には限界がありました。

ところが、二〇一二年にケンタッキーで行われた癒しのカンファランスからすべてが変わりました。それは、クリス・ゴアのミニストリーで、ホープが一〇歳のときでした。クリスは、ホープの代わりに立った私の頭に手をおいて祈り、ひと言、「天国の平安を解き放ちます。」と言いました。私はその瞬間、「平安の液体」が体に注がれたように感じました。私は、その平安が注がれた時、筋肉が背中で動くのを感じました。私は昼食に家に戻って、クリスと全く同じようにしてホープに祈りました。彼女の頭に手をおいて「天国の平安を解き放ちます。」と言いました。すると彼女は私を見て、「マクドナルドのランチにいかない？」と言いました。

その後私は、またカンファランスに戻りました。その夜のセッションの時、霊で、頭の上に雲が見えました。その雲から白い大きな手が伸び、私の脳を手術し出したように感じました。実際に手術されているのは、ホープであることが私には分かりました。

帰宅後、子どもたちの寝室に入り、寝ている子どもたちの頭に手をおき、「主よ、あなたがカンファランスでされたすべてのことを解き放ってください。」と祈り、受けた恵みを呼び起こしました。私がホープのためにその祈りをした時、霊的な風が部屋に入って来ました。

翌朝、二人でカンファランスに向かう車内で、ホープから腐った魚のような匂いが出ていることに気づきました。カンファランスの受付の女性が、「ランチに魚のサンドウィッチを持ってきた人がいるような凄い匂いがするわ。」と言いました。その匂いは七，八週間、彼女から出ていました。主に魚の匂いの訳を尋ねると、主が「私はホープを解毒している。」と言われたように感じました。その癒し以来、彼女に画期的な癒しが続いています。彼女は人の援助も、セラピストも、特別な施設も必要とすることなく、生まれて初めて普通のクラスに編入できました。今では成績もA's（特優）とB's（優）になりました。社会的に見て、彼女は完全に祝福されています。

彼女は初めて、夜ぐっすり寝ることができるようになりました。彼女の友達たちは、「あなたの家に行って長い間過ごしたいわ。」と言ってくれます。彼女は、三歳になる弟の世話もできるようになり、彼がすることにがまん強くなり、また、優しくできるようになりました。彼女は、近所の子どもたちに工作を教える計画も立てています。友達や大人を含めたあらゆる年齢の人たちと、普通のことはもちろん、複雑なことについても交流しています。

私たちは彼女に大量のサプリメントを与えていましたが、今ではまるで必要としないかのように、彼女の体がそれらのサプリメントを受け付けません。私は最近、ベビーシッターの女性に、「私たちの子どもたちの、誰が発達に問題があるか分かりますか?」と聞きました。その女性の答えは間違っていました。

ホープは、自分でも癒しに気づいています。「お母さん。前は雨や雷の音が怖かったのに、今は怖くないの。今の私は、この雨のおかげで干ばつが終わる、と思えるようになったの。今でも稲妻は好きではないけどね。」と言いました。彼女は、こうして自分が癒されていることを知って満面の笑みで、目を輝かせて喜びました。私たちはドアを開けて、並んで腕を組みながら落ちる雨を眺め、ドアのすぐ前で光っている稲妻を眺める、素敵な時間を過ごしました。

彼女は、アスペルガー発達障害の古い症状とは無縁になりました。彼女はもう、発達障害が示す行動を取りません。彼女は、社会生活を営み、自分と他人をよく知り、機知に富み、喜びに溢れています。それらはまるで、ずっと閉じられていた世界が開かれたかのような感じです。そこには、生きる意味がある生活と神が用意された人間がいます。神はホープを癒されました。

*1　二〇一五年七月の時点で、二〇数例癒しが起こっている。

第十五章　よく受ける質問（ＦＡＱ）

私はカンファランスの度に、癒しのミニストリーに関する質問をよく受けます。この章では、それらの中から頻繁に受ける質問をご紹介し、併せて私の見解を述べます。

質問一　祈っても、受け手に何も起こりません。どうして、癒しが見られないのですか？

これはカンファランスの度に、必ずと言っていいほど受ける質問です。最初にお伝えしたいのは、「祈らなければ癒しは起こらない」ということです。これは私が中心に据える価値観です。私はこのことを確信しています。

まず私たちは、祈る相手を愛する義務を負っています。彼らは、モノではなく人ですから。もし私が彼らを愛することができれば、彼らにイエスとの出会いがあるはずです。

二つ目は、私が祈った中で癒しが起きなかったケースが何百例もあるということです。しかし、その場で癒しが見られなかった場合でも、日を追って、週を追って、ある時は七，八年経ってから奇跡が見られたという報告を、多くいただいています。祈った人は、往々にして彼らが祈りに捧げた努力の結果がどうなったかを知りません。つい先日も、私が祈った若い女性が九か月後に癒されたという報告を受けたばかりです。なぜ九か月後に癒されたのかは、私には分かりません。

質問二　祈った相手が癒されていないことが、確実に分かるのはいつですか？　それはなぜですか？

これは、最初の質問の別の側面と言えるでしょう。私は、祈りの際、癒しが見られなかった相手にも、率直で公明な姿勢を崩しません。奇跡が見られないところでは、自分勝手な神学が創られがちです。そして、私たちの体験を福音のレベルに引き上げるのとは反対に、私たちの経験に見合ったところまで福音のレベルを下げてしまいます。私は、なぜ癒しがすべての祈りに対して起きないのかは分かりませんが、神は常に癒そうとされており、それが神の意思であり、御心であるということは分かっています。イエスは、みもとに来たすべての人を例外なく癒されました。私もまた、癒しは神がなさる事柄だからと、蓋で覆うような態度は取りたくありません。癒しのミニストリーには神秘性がありますが、そのことで、主が支払われた代価に応じようとする思いが削がれることはありません。

私は、癒されていない人を非難しません。また、神が誰を癒して誰を癒さないといった決定をしておられるといった非難を、神に向けることもしません。二千年以上も前にその決定はされており、代価も支払われています。そうなると、唯一非難されるべきなのは私であるという方程式が成立しますが、私は結果が伴わなかったことに対して自分を責めることを拒否します。癒しが見られれば当然のこと、また、見られなくても、その一つひとつが、私の癒しのミニストリーに対する心の炎に油を注いでくれます。私は、その中で癒しを求めていきます。

質問三　癒しについてブレークスルーを体験しました。もっと癒しを体験するにはどうしたらよいでしょうか？

答えは多岐に渡りますが、鍵となることを取り上げます。大きなブレークスルー（打ち破り）を経験し、そして、誰もが望むようなことをもっと見たいという人が大勢います。しかし、彼らの中には、自分が経験できたことに感謝する生活を送っていない人が多くいます。お年寄りの女性の頭痛が癒されたことに感謝することなく、足が伸びる癒しを体験したいと思っています。

小さな最初の一歩をないがしろにしてはいけません。絶対的な感謝の中で生きるべきです。ドラマチックな奇跡を見る中にあっても、小さな癒しにも大きな癒しにも畏敬の念を抱いて、そこに留まることが必要です。強烈な奇跡は小さな奇跡を伴ってやって来ることがあります。私自身では、そのどちらも起こすことはできませんので、私は、大きな奇跡にも小さな奇跡にも絶えず感謝し続けています。それらのすべては、私の中におれられる神が、私を通して行われる神の恵みです。

二つ目のポイントは、癒すことにおいて私より高い領域にある人とよく接触し、質問して学び、そして、彼らの持っている環境に浸ることが大事です。このため、私はベテル教会に来られる客員講師の送迎役をさせてもらい、車の中で一緒に過ごす時間を持つようにしています。このような素晴らしい学びをするために、飛行機で移動することもあります。これらは、時間とお金を投資する、十分価値のある素晴らし機会となっています。

三つ目のポイントとして、こうした学ぶべき人たちと共に、伝道旅行にいくことをお勧めします。第一章で紹介しましたように、二〇〇六年にランディ・クラーク師と一緒に出掛けた伝道旅行によって、私の生活の目標値は最高の水準にリセットされました。私も、人々を伝道旅行に連れて行くことを心掛けています。

四つ目は、神の愛、ご性質、本質についてさらに啓示を受け、神の素晴らしさを生活の糧として生きられるようになると、信仰が副産物となってより多くのブレークスルーを体験するということです。第十三章の「イエスとの友情」の中に、このことが詳しく書かれています。

最後に、謙虚な心を忘れてはならないことを挙げます。自分を低くして、いつまでも初心者であるという自覚を持つことです。私には学ぶことがまだまだたくさんあります。生徒であることに留まり、自分はすべてを知り、極めたなどという慢心は禁物です。

質問四　祈った人に素晴らしい癒しが見られたのに、短期間のうちに元に戻ってしまいました。なぜですか？

神は癒し主であり、癒しを取り消してしまうような方ではありません。イエスはいのちを与えるために来られ、またそれを豊かに与えてくださいます。そして、敵は、ただ盗んだり、殺したり、滅ぼしたりするだけの者です（ヨハネ一〇・10参照）。敵は、あなたから盗むためには何でもします。ですから、癒された人には責任が生じます。その責任を果たさず、受けたことへの対処ができていない人が問題です。例えば、不摂生な食事で体重が増えて糖尿病になった人がすっかり癒された場合です。その人は神の力によって癒されたのですから、神とともにある生活を始めなければなりません。ジャンクフードを食べるような不摂生な生活を続けることが赦された訳でありません。私は、このようなケースに接すると心が痛みます、トレーニングなどをして、健康管理に努めることが大切です。

働くことをモットーとしていて、神の恵みについて理解していない人がいました。その人は、見えなかった目が画期的に癒されました。癒しを受けた数日後、彼の耳元で「あなたは、自分は癒しに値しない人間だとは思いませんか」という囁きがありました。彼はそれを神の声と思い込み、その言葉に同意しました。そして、自分は癒される資格がないという思いの中で過ごすようになりました。彼は数時間後に、再び光を失ってしまいました。
恵みは、神の無条件の好意によるものです。恵みとは、値しないものを受け取ることだという人がいますが、それは消極的な発想を引きずっています。イエスは、私たちを主にあって値する者としてご覧になり、そのために、私たちはイエスが良いとされるものを受け取ることができるのだと、私は思っています。
もしあなたが、あの光を失った人と同じ声を聞いたら、それは敵のもので、敵はあなたが受けた恵みを奪いに来たのだということを覚えておいてください。このことを扱った「The authority to stay free from sickness」（病から離れて自由の中に留まる権威）というタイトルのＣＤとＤＶＤがあります。

質問五　世の中には病気の人が大勢います。その中から、神がどの人を癒そうとされるかをどうやって知ることができますか？

その答えは簡単です。神は病気の人すべてに、癒しの感触を体験させてあげようとお思いです。私は、癒そうとされる人について教えてくださる知識の言葉を必要としません。神は二千年前に、十字架で代価が支払われた時に既に選択をされたからです。確かに、知識の言葉は素晴らしいものですが、神が癒そうとされているか否かを知る決定的な要因ではありません。

質問六　すべてのクリスチャンには病気の人を癒す召しがありますか?

イエスは癒し主です。そのイエスが私たちの中に住んでおられます。ですから、私の答えは「はい」です。しかし、実りを見なかったこれまでの体験から、そのことを信じられない人がいるのも事実です。ある集会で、牧師の娘さんが私のところに来て「神様は、人を癒すことに私を用いてはくださらないようです。」と言いました。私がどうしてそう思うようになったのかと尋ねると、彼女は「私は以前に病気の人を祈りました。でも癒されませんでした。」と答えました。

私は彼女に、翌日の夜の癒しのミニストリーに来て、私のチームの一員に加わるように促しました。そして、「チームに加わった人はだれでも、人々を癒すようになります。」と言いました。彼女は青い顔して、断る理由を並べていましたが、最後には同意し、翌日の集会に出てきました。

私の前に大勢の人が並びました。私は彼女に、「さあ、最初の人を祈ってその人が癒されるようにしなさい。」と言いました。彼女は宇宙人でも眺めるかのように私を見て、「どのようにしたらいいか分からない。」と言いましたが、私は「私も分からない」と答えながら、「まず、祈る相手の名前を聞いて、どこが悪いのか尋ねるといいよ。」とアドバイスしました。そして、目の前の人は片方の足が2センチ半くらい短い人でしたので、座ってもらって様子を見ようと言いました。

牧師の娘さんは顔の表情が強張り、「次はどうしたらいいの？」と私の顔を見ながら言いました。私は、「足が伸びるように」という言葉から始めるといいと答えました。彼女は足を見て、「伸びなさい。」と言いました。すると、次の瞬間、足が伸びてもう片方の足と同じ長さになりました。

彼女は、これまで自分が敵の嘘を信じていたことを啓示として知り、神は彼女を用いたいと思われているという真実が分かり、床にくずれ落ちて泣き叫んでいました。私は彼女を一分間ほど、そのままにしておきました。それから、彼女に「もういいだろう？まだ大勢の人が祈りを待っているよ。同じようにすればいいんだから。すべてが終わったら教えて欲しい。」と伝えました。私は前方で横になり、人々からは、私が別のことで祈っているかのよう見えるようにしました。

一時間が過ぎたころ、彼女は幸せそうに、「想像してみて。今夜、私が祈ったすべての人に癒しがあったの。」と言いました。恍惚状態でした。神は、すべてのクリスチャンを用いようとされています。癒しは、自分を用いて欲しいという意思を持つことから始まります。ぬるま湯から一歩外に踏み出し、子どものような信仰で、神が働かれるのをあるがままに委ねることです。

質問七　いつ、祈りを終え、祈る相手から離れたらよいでしょう？

私は、癒しが起きるまで祈るか、あるいは、この場では癒しがないことを相手に伝えて終えるように、ミニストリー・チームに言っています。私は、相手に励ましを与えてから、その場を離れるようにしています。どんな状況にあっても、祈りは人を励ます場であり、癒しを受けなかった人を非難する場では決してないことを心に留めています。そして、癒しの場はいつでも開かれていて、いつでも癒しの祈りを受けに来られることを伝えています。

質問八　私たちの教会で癒しのミニストリーを始めるには、どうしたらいいですか？

あなたの教会の牧師のカバーの下で始めてください。仮に牧師が癒しのミニストリーの実行に前向きでなくても、牧師に従い、心から奉仕してください。そうすることによって、必ず道が拓けてきます。小さなことから始め、実績を積み重ねることが大切です。

ワシントン州のスポケーン市に国際ヒーリーング・ルーム協会　(IAHR) という組織があり、各種の資料が整っています。

結　論

私がこの本の中で書きたかったことは、まだ他にも多くあります。その意味で、この本は癒しのミニストリーの集大成ではありません。癒しに関する課題はまだ他にもありますし、また、癒しには神の神秘性が伴うのも事実です。この本で私は、癒しに対する心をお伝えすることに焦点を当てました。ですから、癒しの方法論をつくることはしませんでした。御国は休息することによって息づきます。イエスの足元で休息する時間を大切にし、支払ってくださった代価に思いを馳せ、いかに私たちが愛されている存在であるかを知ってそのことに圧倒された時に、すべてを主に委ねる心が湧き上がります。

私は、多くの信徒が立ち上がり、私たちは神の中にあり、その神が私たちの中にあるという啓示を受ける姿を見たいと思っています。私は、聖霊の力が現実に働くことに教会が目覚め、世界の都市や国々が大きく変わっていくのを目の当りにしたいのです。あなた方の成果と証をぜひ私に届けてください。イエスの超自然的な力の中を歩む、みなさんの大胆な冒険の旅について知りたいと思います。
私のフェースブック www.Chris Gore - Kingdom Releasers を訪ねてください。

1 「天が地に侵入するとき」（ビル・ジョンソン著）- マルコーシュ・パブリケーション - より
2 「奇跡への入口」（ビル・ジョンソン著）- マルコーシュ・パブリケーション - より

第十六章　癒しの中心的価値観

私はベテル教会の「癒しの部屋」（ヒーリング・ルーム）のディレクターです。毎週土曜日の朝に、平均二七〇人が訪れる癒しの部屋には九〇〇人を超えるスタッフがいます。そのほかに、スカイプでの祈りの要請に応じる人が五〇人、他の教会からの要請に答えて祈る人が四〇〇人います。さらに、世界中から電話で入る祈りの要請に応じる（オン・コール・チーム）のパスターの監督もしています。教会に来られない病気の人のために祈るアウトリーチ・チームや、命の甦りを祈るチームも私の監督下にあります。すべての人が神のタイミングで死ぬとは限らないため、復活を信じるチームが祈ります。海外で行う癒しのカンファランス、そして、年に一度ベテル教会で行う癒しのスクールを開催するのを楽しみにしています。癒しのスクールは海外でも開催します。

次にご紹介するのは、私が癒しに対して持っている中心的価値観です。私は八年前に、中心的価値観を生活の中に一覧表にして持っている意義を感じました。私にとってこの中心的価値観はとても大切なものです。この価値観は、私が神にあってどうあるべきかという真実に、私を留めてくれます。これは癒しに限ったものではなく、すべては御国に関するものです。もし、これらに加えるものがあったら書き加え、皆さん独自の価値観を持たれることをお勧めします。

私は、どんなときでも、神の子どもです。（マタイ六・9、ペテロ第一二・9参照）

すべてのことに関して、私は、己の存在意義（アイデンティティ）のために行動するのではなく、それに基づいて行動します。

豊かな実りは、父なる神との親密な関係から流れ出る。（ヨハネ一五・4参照）

原理はいつも実の大きさを測りにかけますが、神と親密になって臨在を知ることは大きな実りへと私たちを前進させてくれます。

実りを得るために努力する必要はない。（ヨハネ四・19参照）

豊かな実りは、神に愛され、神を愛していることを知ることによって自然ともたらされます。リンゴの木はごく自然にリンゴの実を結びます。

天で行われているように、この地上でも…（マタイ六・10参照）

天国には病がありません。

奇跡を！（ローマ一五・9）

奇跡は福音です。

常に神に主権を！

奇跡が起こらないのは、神のせいではありません。

力と高潔さ

自分の高潔さはバランスの保たれたものに！　謙虚な姿勢が大切。

力のない生活は不必要

私は、常に聖書とイエスを基準にしています。奇跡を体験しないことを福音のレベルを下げる理由にはしません。

私が癒しの祈りをするときは、一〇〇パーセント成功する

実りがあろうとなかろうと、成功に向かって行動することが私の使命です。

神はいつも快活で素晴らしい方です。(ヨハネ三・16、ローマ人への手紙二・4、詩篇三四・8参照)

神が素晴らしい方であることを宣言する時、神はいつも私に現れてくださいます。私は二〇〇八年に、私が神の素晴らしさを宣言する時、神は私を通じて素晴らしいものを解き放つと、神から語られました。私の今の環境は、神の素晴らしさを決定するものではありません。私はいつも、神の素晴ら

しさに自分をしっかり繋ぎとめています。

証によって生きる文化を築こう！

いつも子どものように！

種まきが刈り取りを招く。

天国は開かれている。（イザヤ六四、マルコ一章参照）

リバイバリストであれ！

リバイバリストは善き家庭人であれ！

人を敬う文化を築こう！

喜びの文化を築こう！

人を決して裁きません。

すべての人に力を与える文化を築こう！

御父のみ心を知ろう！（ヘブライ一・3、マタイ八・3参照）

感謝する文化を築こう！

恵みの文化を築こう！

主の恵みにすべてを委ねる。

自由の文化を築こう！

癒しのタイミングは二千年まえに…

ヒーリングは信仰だけでは起こらない

信仰は御国の硬貨ではありますが、それだけが癒しの理由ではありません。神が私たちを愛してくださっており、そのことで癒しが起きます。

私が祈るすべての人が神の愛と出会う。

癒しが起こらなかった人を責めて、その人を後にすることをしない。

もっと与えることが鍵（ルカ六・38参照）

夢と希望に生きる。

人を励ます預言を！

寛容であれ！

次世代への継承をいつも心に留める。

■著者紹介

クリス・ゴア

ニュージーランドで牧師を務め、ベテルに来てスーパーナチュラル・ミニストリー・スクールを卒業、現在は癒しのミニストリーのディレクターを務めている。妻のリズと三人の娘たち、シャーロット、エマ、ソフィーとともに暮らしている。

ホームページ：www.kingdomreleasers.org

Facebook：www.facebook.com/chrissGor

超自然的ないやしの力に歩む

2015年10月27日　初版発行

著者　クリス・ゴア
翻訳　高井悦夫

発売所　マルコーシュ・パブリケーション
東京都渋谷区広尾5-9-7
TEL 03-6455-7734　FAX 03-6455-7735

定価　（1700円＋税）
印刷所　モリモト印刷